LE CAVALI
FORTUNE

Tome I

Paul Féval

Edition : Culturea (culurea.fr), 34 Hérault
Contact : infos@culturea.fr
Impression : BOD, Norderstedt (Allemagne)
ISBN : 9791041839186
Date de publication : juillet 2023
Mise en page et maquettage : https://reedsy.com/
Cet ouvrage a été composé avec la police Bauer Bodoni

Première partie
La conspiration en dentelles

I
Où Fortune établit qu'il a une étoile

– Monseigneur, dit Fortune, nous autres Français nous n'avons point la vanterie des Espagnols. S'il y a chez nous un défaut, c'est que nous ne savons pas nous faire valoir suffisamment. Je suis brave, mes preuves sont faites, et quant à la prudence, j'en ai en vérité à revendre. À Paris, comme à Florence, à Turin et dans d'autres villes capitales, mon adresse passe en proverbe, et c'est justice, car aussitôt que j'entreprends une affaire elle est dans le sac. En me choisissant, Votre Éminence a eu la main heureuse : je lui en fais mon sincère compliment.

C'était un magnifique garçon, à la taille élégante et robuste à la fois. Il disait tout cela en souriant, debout qu'il était, dans une attitude noble mais respectueuse, incliné à demi devant un personnage aux traits sévères et fortement accentués qui portait le costume de prêtre.

Il avait, lui, notre beau jeune homme, l'accoutrement d'un cavalier d'Espagne.

La plume de son feutre, qu'il tenait à la main et dont les bords étaient relevés à la Castillane, balayait presque le sol.

L'expression de son visage était douce, franche, mais légèrement moqueuse, et ses traits auraient péché par une délicatesse un peu efféminée, sans une belle moustache soyeuse et noire, qui relevait ses crocs galamment tordus jusqu'au milieu de sa joue.

Il y avait un singulier contraste entre cette figure jeune et charmante, où s'étalait en quelque sorte effrontément toute l'insouciance d'une jeunesse aventureuse, et le front maladif de ce prêtre qui semblait courbé sous les fatigues de la pensée.

Ce prêtre était un Italien, fils de jardinier, ancien sonneur de la cathédrale de Plaisance, présentement cardinal, grand d'Espagne de première classe et ministre d'État du roi Philippe V.

Il avait nom Jules Alberoni, et voulait refaire en plein dix-huitième siècle la grande monarchie de Charles-Quint.

La Suède, une portion de l'Italie, toute l'Allemagne du sud, la Turquie et jusqu'à la Russie, qui naissait à peine à l'existence politique, étaient pour lui les éléments d'une redoutable ligue sous laquelle il voulait écraser la France et l'Angleterre : la France, qu'il rêvait province espagnole, et l'Angleterre, où il prétendait réintégrer les Stuarts, sous cette condition que l'Église protestante serait anéantie.

On était en 1717. Alberoni entrait dans sa cinquante-cinquième année et atteignait le faîte de sa puissance politique.

Dans toute l'Europe, les connaisseurs pariaient pour lui contre l'Angleterre et la France.

Outre ces ennemis du dehors, la France avait en effet contre elle, à ce moment, les vices compromettants du régent, les menées des fils légitimes de Louis XIV et les troubles de la province de Bretagne. Quant à l'Angleterre, le parti des Stuarts y semblait si puissant en Écosse et aussi en Irlande, que la présence seule du chevalier de Saint-Georges, fils du roi Jacques, devait suffire, selon la croyance générale, à déterminer une révolution.

Il nous reste à dire que la scène se passait à l'ancien palais d'été de la princesse des Ursins, dans la campagne de Alcala de Hénarès, près de Madrid.

L'œil pensif et demi-clos du cardinal interrogeait avec distraction la riante physionomie de son jeune compagnon.

Quand celui-ci eut achevé l'énumération de ses mérites, le cardinal dit entre haut et bas :

– Avec cela, seigneur cavalier, vous regorgez de modestie ?

– On s'accorde à le reconnaître, Monseigneur, répondit Fortune avec une entière bonne foi.

Il salua militairement.

Un sourire où il y avait de la bonhomie vint aux lèvres pâles du Premier ministre.

– S'il vous plaît, seigneur cavalier, poursuivit-il, où avez-vous pris ce nom de Fortune ?

– J'étais certain, répliqua notre jeune homme, que Votre Éminence le remarquerait. Il sonne bien et plaît à tout le monde. Je ne l'ai pas pris, on me l'a donné. Dans le cours de mes voyages, j'ai été poursuivi par une chance si constamment heureuse, que les gens se disaient : « Voici un jeune homme qui est né coiffé, assurément ! »

– Vous êtes gentilhomme ? demanda ici le cardinal.

– Il y a cent à parier contre un, oui, Monseigneur. Ma figure et ma tournure en sont d'assez bons garants, je suppose. Mais il y a autour de ma naissance un nuage que je n'ai encore eu ni le temps ni l'occasion de dissiper. Au demeurant, cela ne m'inquiète point : certain ou, à peu près, d'être le fils d'un marquis ou d'un duc, il m'importe assez peu de savoir au juste, quel est ce duc ou ce marquis. J'ai le caractère admirablement fait et ne me nourris jamais de mélancolie. Pour en revenir à mon nom, ce fut en Italie, je crois, qu'on me le prêta pour la première fois... ou bien, à Milan, voici de cela deux ou trois années. Je fus attaqué sur le tard, dans une petite rue qui est derrière la cathédrale ; les voleurs me jugeant sur la mine avaient cru faire un excellent coup, car on jurerait à me voir que j'ai des doublons pleins les poches.

« J'étais seul contre une demi-douzaine de coquins, et perdis pied après m'être vaillamment défendu. L'histoire est assez piquante, ne vous impatientez pas, Monseigneur. Couché dans mon sang sur le pavé et ne pouvant plus me défendre, je sentis les coquins mettre leurs mains dans mes goussets, où il n'y avait absolument rien. Ils blasphémèrent comme des ruffians qu'ils étaient, et s'en allèrent fort mécontents ; mais au moment où le dernier se relevait, un objet heurta ma poitrine et rendit un son harmonieux.

« Une bourse fort bien garnie, ma foi, et que le bandit avait sans doute dérobé à quelqu'un de moins heureux, mais de plus riche que moi, venait de glisser hors de sa poche. C'était un cadeau que ce scélérat me faisait malgré lui... J'avais oublié de dire à Monseigneur que je me promenais ainsi de nuit parce que mon hôtelier, pour une misérable dette de quatorze ducats, m'avait envoyé coucher à la belle étoile. La bourse contenait cinquante doubles pistoles, mais je n'en eus pas besoin pour rentrer à mon logis. Une jalousie se releva tout auprès du lieu où j'étais tombé, une fenêtre s'ouvrit, et une voix plus douce que celle des anges... »

La main du cardinal, sèche et blanche comme un ivoire sculpté, fit un geste, et notre jeune homme s'inclina en ajoutant :

– Monseigneur, mon histoire pourrait être racontée devant une carmélite. J'en abrégerai néanmoins les détails. La jeune dame était de la cour, et Votre Éminence sait par expérience comme on monte vite à la cour, quand on a du bonheur et du génie. Sans la méchante humeur du mari, qui était un homme à courte vue et qui me fit jeter peu de temps après dans un cul de basse-fosse, je serais à présent un personnage considérable, voilà le fait certain.

– Singulier dénouement, murmura le prélat, pour une aventure qui vous mérita le nom de Fortune !

– J'en demande pardon à Votre Éminence ! s'écria vivement le jeune cavalier. Je n'ai pas tout dit : le jour même où j'entrai en prison, mon logis brûla misérablement depuis les caves jusqu'aux greniers. Sans la jalousie maladroite de cet excellent seigneur, c'en était fait de moi ! En prison, d'ailleurs, je fis la connaissance d'un gentilhomme qui commandait une bande dans l'Apennin. Nous rompîmes nos chaînes ensemble, et, voyez la filière ! ce hasard me conduisit jusqu'à Rome sous prétexte d'y être pendu. Je dis tout à Monseigneur, sachant que les vrais politiques aiment à employer les gens qui ont une étoile. On me pendit en effet, mais la corde cassa, et Sa Sainteté ayant eu la curiosité de me voir, défendit qu'on recommençât avec une corde neuve.

« J'avais fait impression sur le père commun des fidèles par ma tournure galante et mon agréable caractère : au lieu d'être pendu, j'eus le petit collet, et Dieu sait où je serais parvenu dans cette voie nouvelle si le protonotaire apostolique n'avait eu une nièce.

« Je m'éveillai un matin au château Saint-Ange, et il faudrait être aveugle pour ne pas reconnaître là l'influence de mon étoile : ma vocation est l'épée, et huit jours de plus j'avais la tonsure !

« Au lieu de cela et en moitié moins de temps, une personne charitable qui venait visiter les prisonniers, eut pitié de ma jeunesse et me donna la clef des champs. Je gagnai la mer et pris passage comme matelot à bord d'un navire qui revenait en France. Les corsaires algériens nous abordèrent en face de l'île de Sardaigne, et me voilà l'esclave des infidèles.

« Mon étoile, Monseigneur ! Pendant qu'on m'emmenait captif au pays africain, la peste était à Marseille !

« De fil en aiguille et pour ne pas ennuyer Votre Éminence, je ne suis pas un bien grand sire, mais j'ai passé au travers de tous les dangers imaginables sans y laisser ma peau et subi tous les malheurs sans y perdre mon bonheur ; j'ai vécu là-dedans comme la salamandre au milieu des flammes... Si bien qu'hier je me trouvais sur le pavé de Madrid, sans feu ni lieu, avec un pourpoint troué et des bottes qui n'avaient plus de semelles, lorsqu'on a crié au voleur au coin de la rue de Tolède. Tout le monde courait, j'ai fait comme tout le monde, et les archers de la Sainte-Harmandad, me choisissant d'un coup d'aile au milieu de la foule, m'ont mis la main au collet pour me conduire en prison.

« Mon étoile ! Il n'y aurait pas eu un homme sur cent pour gagner ce lot à la loterie : Comme je m'en allais assez triste entre quatre hallebardiers, ne parlant déjà plus, tant j'étais las de protester de mon innocence, j'ai senti un doigt qui touchait mon épaule.

« On n'est pas fier dans ces moments là ! Je me suis retourné paisiblement et j'ai reconnu La Roche-Laury, l'ancien écuyer de M. de Vendôme qui fut, je crois, Monseigneur, un peu le bienfaiteur de Votre Éminence... car vous êtes venu de loin, vous aussi, et après moi je ne connais personne qui pût mériter si bien ce joli nom de Fortune !

« – Corbac, s'écria La Roche-Laury, je ne me trompais pas ! C'est cet innocent de Raymond !

« On m'appelait ainsi avant mon aventure du voleur, qui me fit cadeau de cinquante doubles pistoles.

« Je vis tout de suite à la contenance de mes gardiens que La Roche-Laury était maintenant un homme d'importance.

« – En es-tu venu à couper les bourses dans le ruisseau, Fortune, mon pauvre Fortune ? dit-il encore.

« Et comme je protestai, il écarta mes hallebardiers pour me tirer à part.

« – Ce serait pitié de te voir pendu, me dit-il, tu es plus beau garçon que jamais. Veux-tu jouer un jeu à te faire casser le cou ?

« Monseigneur, La Roche-Laury pourra témoigner que je ne

demandai même pas ce qu'on pouvait gagner à ce jeu.

« Mon premier mot fut celui-ci :

« – La mule du pape ! Où sont les cartes pour jouer à ce jeu ?

« – Il n'y a ni cartes, ni dés, me répondit La Roche-Laury.

« – Mes drôles, ajouta-t-il en s'adressant aux hallebardiers, allez pêcher d'autre poisson, je réponds de ce gentilhomme.

« Mon étoile ! J'eus à souper au lieu d'aller en prison, La Roche-Laury m'acheta un pourpoint presque neuf, des chausses qui peuvent encore faire un bon usage, des bottes d'excellent cuir et même quelques bouts de dentelles. Cette nuit, par la morbleu ! j'ai couché sur un lit de plume, et ce matin on m'a donné un cheval sur lequel j'ai fait huit lieues à franc étrier pour venir vers Votre Éminence et lui dire : Ordonnez, j'obéirai ! »

Ayant ainsi parlé, le cavalier Fortune se redressa et attendit.

Les yeux demi-fermés du cardinal rejoignirent complètement leurs paupières.

– Vous avez l'habitude de jurer ? murmura-t-il.

– Corbac ! gronda Fortune, La Roche-Laury m'avait pourtant bien prévenu de ne point dire devant vous : La mule du pape.

Il y eut un silence pendant lequel le ministre sembla profondément réfléchir.

– Allez dîner, dit-il.

Fortune s'inclina.

– Après dîner, poursuivit le cardinal, vous ferez un tour de promenade.

Nouveau salut de Fortune.

– Ensuite de quoi, reprit le ministre, vous vous mettrez au lit, s'il vous plaît.

– Tout cela, pensa notre cavalier, ne me paraît pas la mer à boire !

Le cardinal rouvrit les yeux et ajouta :

– Demain matin vous partirez.

Fortune était tout oreilles. Il attendit quelques instants, puis voyant que l'Éminence ne parlait plus, il se hasarda à demander :

– Pour quel pays, Monseigneur ?

Alberoni, moitié de grand homme, comédien à l'instar de tous les gens d'Italie, aimait passionnément la mise en scène. Il étudiait sans cesse l'histoire du cardinal de Richelieu et, ne pouvant mieux faire, il imitait avec soin les allures mystérieuses de son modèle.

– Avant de vous coucher, ajouta-t-il à voix basse, vous vous promènerez sur la route de Madrid. S'il vous arrivait de rencontrer un quidam ayant l'épaule droite plus haute que la gauche, un taffetas vert sur l'œil et des cheveux blonds, évitez de l'entretenir ou de vous battre avec lui ; ne suivez aucune femme, défense de boire, de jouer et de jurer.

Sa blanche main montra la porte ; Fortune se confondit en révérence et sortit à reculons.

Au moment où il passait le seuil, le cardinal lui dit encore :

– Votre gîte est à l'auberge des Trois-Mages, porte de l'Escurial.

Fortune se rendit fidèlement à l'hôtellerie indiquée et y dîna en conscience. Il se promena sur la route de Madrid et n'eut point la peine d'éviter conversation ou bataille avec le quidam aux épaules inégales, orné d'un taffetas vert sur l'œil et coiffé de cheveux blonds crépus, car il ne rencontra personne à qui ce signalement remarquable pût être appliqué.

Il ne but ni ne joua, parce qu'il n'avait pas un quarto dans sa poche.

Il ne suivit point la seule femme qui croisa son chemin, attendu qu'elle était vieille et laide, et s'il jura un tantinet, ce fut à lui tout seul : la mule du pape !

Il était intrigué : son imagination travaillait. Quelle allait être sa besogne ? En tout cas, il se disait que Son Éminence aurait bien pu lui donner quelques quadruples en avance sur le marché.

Il rentra, soupa, se coucha et dormit comme un juste.

Au petit jour, l'hôtelier des Trois-Mages entra dans sa chambre et lui dit :

– Le cheval de votre seigneurie est sellé et bridé, voici l'heure de partir.

Fortune sauta hors de son lit et fut prêt en un clin d'œil.

Il pensait :

– Au moment de quitter l'auberge, il faudra bien que je sache où je vais.

Sur le seuil il retrouva l'hôtelier. C'était un Asturien jaune et noir qui pleurait de la bile.

– Seigneur cavalier, lui dit-il, je ne vous demande rien pour vos deux repas et votre gîte.

– Et n'êtes-vous point chargé, au contraire, de me donner quelque chose ? demanda Fortune.

L'Asturien montra en un sourire ses dents qui avaient la couleur du chocolat d'Espagne, célèbre alors dans l'univers entier.

– Montez, dit-il en désignant du doigt le cheval tout harnaché.

– Par la sambleu ! s'écria Fortune, je veux bien monter, mais où irai-je ?

L'hôtelier lui tint l'étrier avec un respect ironique, et, quand Fortune fut en selle, lui dit :

– Route de Guadalaxara. Vous irez jusqu'à la cinquième borne militaire, et vous attacherez votre cheval à l'anneau scellé dans la borne.

– Et puis ? demanda Fortune.

– Vous attendrez, répondit l'Asturien. Que Dieu protège Votre Seigneurie dans la forêt !

II

Où Fortune cherche son souper

C'était une gaie matinée de printemps.

Il faisait froid, comme il arrive souvent dans la campagne de Madrid, et Fortune regrettait que La Roche-Laury, sa providence, n'eût point songé à joindre un manteau à son pourpoint et à son haut-de-chausses.

Le jour était encore incertain.

Fortune, chevauchant du côté de la route où étaient les bornes militaires, voyait du côté droit un autre cavalier qui allait bon pas sur une grande mule.

Ce cavalier avait un manteau et fredonnait entre ses dents des airs que Fortune aurait pris pour des refrains de France si l'on n'eût point été en Castille.

Quoique Fortune, selon sa propre appréciation, et comme il l'avait franchement avoué au cardinal, fût un garçon sans défauts, il céda aux conseils de la faiblesse humaine et pressa le pas de son cheval pour voir un peu la figure de ce voyageur qui pouvait devenir un compagnon de route.

Mais l'autre, entendant le bruit du trot dans la poussière, souffleta les oreilles de sa mule, qui aussitôt allongea.

En même temps, il ramena sur son visage les plis du manteau que Fortune lui enviait.

Fortune prit le petit galop, la mule aussi, de sorte que la distance restait toujours à peu près la même entre nos deux voyageurs.

– Tête-bleu ! pensa Fortune, qui n'était pas endurant de sa nature, ce croquant pense-t-il m'en donner à garder ?

Et il piqua des deux.

Mais la mule prit aussitôt le grand galop.

Fortune, mordu au jeu, donna de l'éperon comme un diable, et ce fut bientôt entre les deux voyageurs une véritable course au clocher.

Pendant cela, le jour grandissait. Fortune se disait, commençant à distinguer la tournure de l'homme à la mule :

- Voici un gaillard mal bâti, ou que je meure ! Il a des cheveux qui coifferaient bien un jocrisse sur le Pont-Neuf. Quand je vais l'atteindre, je lui demanderai un peu pourquoi il m'a fait courir ainsi.

Son cheval, vivement poussé, gagnait du terrain ; l'autre voyageur, qui craignait d'être vaincu dans cette lutte de vitesse, tourna la tête pour la première fois, afin de voir qui le poursuivait ainsi. Ce fut un coup de théâtre.

Fortune serra le mors de son cheval, qui s'arrêta court.

Il venait d'apercevoir sur l'œil droit de l'homme à la mule une large bande de taffetas vert.

- Sang de moi ! s'écria-t-il, j'aurais dû deviner cela depuis longtemps ! épaules dépareillées et perruque rousse ne me suffisaient-elles pas sans l'emplâtre ? Je n'ai rien à faire de ce coquin, puisque j'ai défense de causer avec lui et de me battre contre lui !

Ce coquin, comme l'appelait Fortune, était animé sans doute de sentiments pareils, car après avoir regardé notre cavalier, non seulement il continua de fuir à fond de train, mais encore il se jeta hors de la route et disparut derrière un bouquet de chênes-lièges qui rejoignait le Hénarès.

Fortune reprit sa marche au pas.

Le soleil commençait à rougir les vapeurs de l'horizon.

Fortune en était encore à se demander quelle diable de fringale avait pris l'homme à la mule, lorsqu'il aperçut la cinquième borne militaire entre Alcala et Guadalaxara.

Fortune descendit de cheval, attacha sa monture à l'anneau de fer scellé dans la borne et s'assit sur le parapet du pont.

À l'autre bout du parapet, un moine en robe brune, rattachée aux reins par une corde écrue, regardait couler l'eau.

L'arrivée de Fortune ne sembla point troubler sa méditation.

Un long quart d'heure se passa, et Fortune commençait à perdre patience, lorsqu'au sommet de la côte en pente douce qu'il venait de descendre pour arriver jusqu'au pont, un cortège se montra.

C'étaient deux mules honnêtement caparaçonnées, entre

lesquelles une litière de voyage se balançait.

Quatre vigoureux *arrièros*, le fouet à la main, l'espingole en bandoulière, accompagnaient les mules deux à droites, deux à gauche.

Le moine quitta aussitôt sa posture méditative et vint droit à Fortune.

Il entrouvrit son froc et mit sur la borne un sac d'argent en disant :

- Cavalier, voici de quoi payer les frais de votre voyage dans la forêt.

- À la bonne heure ! s'écria Fortune, je vais savoir enfin où je vais !

- Vous allez coucher à Guadalaxara, répondit le moine. Gardez-vous seulement en chemin d'un certain personnage qui est bossu de l'épaule droite, rousseau de cheveux et qui porte un taffetas sur l'œil.

- Je l'ai vu, le personnage, riposta vivement Fortune ; au lieu de me garer de lui, ne serait-il pas plus court de l'assommer ?

Le moine mit un doigt sur sa bouche.

Les deux mules, la litière et les quatre *arrièros* armés jusqu'aux dents arrivaient à la tête du pont.

- « Alto ahi ! » commanda le moine sans élever la voix.

Quoi qu'il eût pu faire, Fortune n'avait pas encore distingué son visage, perdu dans l'ombre d'une profonde cagoule.

Le cortège s'arrêta aussitôt.

Le moine dit encore, en s'adressant à Fortune :

- Cavalier, regardez de tous vos yeux et ne perdez rien de ce que vous allez voir.

Il marcha en même temps vers la chaise suspendue dont la portière s'ouvrit, découvrant une jeune femme - ou une jeune fille - au teint pâle et à la physionomie intelligente.

Fortune resta ébloui par le regard que l'inconnue lui jeta.

Le moine échangea quelques rapides paroles avec la jeune dame de la litière, puis la portière se referma et le cortège reprit sa marche.

– Qu'avez-vous vu ? demanda le moine à Fortune.

– Une figure de jolie femme, répondit celui-ci, seulement je ne l'ai pas vue assez longtemps.

– La reconnaîtriez-vous si vous veniez à vous rencontrer avec elle ?

– Pour cela, oui.

– Dans un mois comme aujourd'hui ?

– Dans un an, s'il me faut attendre jusque-là.

Le moine dit :

– C'est bien.

Et il ajouta :

– Si quelqu'un vous parle de la Française, vous saurez qu'il s'agit d'elle.

– Bien, dit Fortune à son tour, je le saurai. Après ?

Le moine croisa ses bras sur sa poitrine.

– Cavalier, répondit-il, vous vous arrêterez au Taureau-Royal, qui est la première *posada* en entrant à Guadalaxara par le faubourg de Madrid. Que Dieu vous protège dans la forêt !

À ces mots, il tourna le dos et prit à pas lents le chemin de Alcala.

Fortune resta un moment abasourdi.

C'était la troisième fois qu'on lui parlait de « la forêt ».

Les forêts sont rares en Espagne.

Mais comme Fortune n'était pas homme à se creuser la tête longtemps ni à délibérer outre mesure, il versa sur le parapet le contenu du sac à lui remis par le moine et se mit à compter son argent avec plaisir.

Il y avait deux cents *douros* de vingt réaux chacun, ce qui formait à peu près mille livres tournois en argent de France.

– Ce cardinal, pensa Fortune, est un homme de sens ; il m'a payé en argent et non point en or, parce qu'il s'est dit : « Avec un gaillard comme ce joli garçon de Fortune, les grosses pièces vont plus vite que les petites. » En somme, le cadeau me paraît suffisant pour aller jusqu'à la couchée.

Quand il eut remis les *douros* dans le sac, il revint vers son cheval pour le détacher, et dirigea ses yeux vers la route qui lui restait à parcourir.

Au beau milieu du chemin, à un demi-quart de lieue, il y avait un homme immobile qui semblait suivre ses mouvements avec une attention toute particulière.

De si loin on ne pouvait pas distinguer l'emplâtre de taffetas vert, et pourtant Fortune crut reconnaître le rousseau à l'épaule contrefaite.

Une chose étrange changea son doute en certitude aussitôt que l'homme vit le regard de Fortune fixé sur lui, il tourna bride, quitta la route battue et disparut dans la campagne.

Fortune se remit en selle et poussa incontinent son cheval.

Ce n'était pas pour rejoindre le rousseau, bien que la fuite de ce dernier lui donnât vaguement envie de l'atteindre.

Il se disait tout bonnement :

– Les mules de la Française vont au pas, les *arrièros* sont à pied : en trottant cinq minutes je rejoindrai la litière, et ce sera bien le diable si la belle inconnue ne met pas un peu le nez dehors, car on doit étouffer dans cette boîte.

Fortune trotta pendant dix minutes, puis il galopa pendant un quart d'heure, mais il ne vit ni mules, ni chaise, ni muletiers.

Il arriva de bonne heure à la *posada* du Taureau-Royal, qui était située à l'entrée même de la ville.

Fortune laissa sa monture à l'écurie du Taureau-Royal, pénétra dans la ville pour chercher son souper.

À quelques pas de la *posada*, il fut abordé par un bourgeois d'honnête mine, qui le salua avec respect et lui dit :

– Seigneur cavalier, n'auriez-vous point rencontré sur votre route un homme monté sur une mule, avec des cheveux rouge carotte, une épaule démise et un emplâtre sur l'œil gauche ?

– Non, répondit Fortune, il porte l'emplâtre sur l'œil droit.

Le bourgeois lui adressa un aimable sourire.

– Son Éminence, reprit-il à voix basse, sait choisir ses serviteurs, et vous avez tout ce qu'il faut pour traverser la forêt.

– Bonhomme ! s'écria Fortune vivement, allez-vous enfin me dire quelle est ma besogne et où se dirige mon voyage ?

Le sourire du bourgeois devint plus malicieux et il répondit :

– Vous ne trouveriez pas dans toute la ville de Guadalaxara, qui est pourtant capitale de province, un seul cabaret pour manger un morceau de lard frais, sur le gril ; mais Michel Pacheco, le marchant de futaine, a bien reçu votre lettre et sa maison est toujours à la même place sur le parvis de l'église Saint-Ginès.

– Je veux que Dieu me damne... commença Fortune.

Mais il n'eut point l'occasion d'achever, parce que le bourgeois, se bouchant les oreilles à deux mains, partit comme si toute la sainte Inquisition eût été à ses trousses.

Fortune s'adressa au premier passant venu et lui demanda où était le meilleur cabaret.

– Il y a celui de Guttierez, répondit le passant, où il vint une moitié de mouton la quinzaine passée ; il y a aussi celui de Raphaël Nunez, dont les deux poules pondent de temps à autre ; mais si vous voulez manger un oignon doux, cuit à point sur la braise, allez chez Jean de La Vega, et vous m'en direz des nouvelles !

Le passant suivit son chemin.

Fortune se mit à écouter son estomac qui criait misère et songea mélancoliquement à tous les bons endroits qu'on rencontre dans tous les coins de Paris, cette capitale de l'hospitalité.

Il pénétra plus avant dans la ville majestueuse et bien bâtie, dont les sombres maisons ne laissaient sortir aucune odeur de cuisine.

Plusieurs invocations qu'il adressa à son étoile n'eurent aucun résultat.

Chemin faisant il avait mis le nez à la porte des divers cabarets indiqués par le passant charitable, mais le mouton de la quinzaine passée était mangé, les deux poules n'avaient point pondu, et Fortune n'aimait pas les oignons doux cuits dans la braise.

La principale maison du parvis, située vis-à-vis du portail de l'église, avait une apparence tout à fait respectable.

L'enseigne disait en caractères creusés profondément et vieux comme la maison elle-même : « Michel Pacheco, marchand de futaine ».

Une femme voilée et dont les épaules gracieuses s'enveloppaient dans une mantille de dentelle noire sortit de l'église, escortée par une duègne qui portait son livre de prières.

On ne voyait rien de son visage, et peut-être qu'en ce moment notre cavalier affamé eût préféré une tranche de bœuf à la plus délicieuse aventure du monde.

Mais comme la tranche de bœuf manquait, Fortune se complut à regarder la taille harmonieuse et l'élégante démarche de la jeune femme.

Car elle était jeune, il l'eût juré sur son salut.

Elle passa tout près de lui, et, comme il touchait son feutre pour lui adresser un galant salut, une voix aigrelette se fit entendre sous les coiffes de la duègne, disant :

– Vous êtes en retard : on vous attend, fleur d'amour !

En ce moment, l'angélus sonna à la tour de l'église et vingt fenêtres s'ouvrirent tout autour de la place, montrant des hommes et des femmes qui faisaient dévotement le signe de la croix.

Fortune suivait des yeux l'inconnue qui se dirigeait vers la maison faisant face au portail.

Au second étage de cette même maison une fenêtre s'était ouverte, et Fortune poussa un cri d'étonnement en y voyant paraître la perruque rousse et les épaules difformes de son mystérieux ennemi, l'homme à la bande de taffetas vert sur l'œil.

Celui-ci se signa comme les autres ; mais à la vue de Fortune, il fit une grimace de colère et referma précipitamment la croisée, à l'instant même où la dame voilée et sa duègne entraient dans la maison.

Ce fut alors seulement que le nom de Michel Pacheco, gravé au-dessus de la porte, frappa les yeux de Fortune.

– Que je sois pendu, grommela-t-il, si le bourgeois de tantôt n'avait pas raison ! Ce misérable coquin de rousseau a bien vraiment son emplâtre sur l'œil gauche, à moins que l'excès de mon appétit ne me donne la berlue... Mais que disait-il donc avec ma lettre que ce Michel Pacheco, marchand de futaine, a reçue ? Je n'ai point écrit de lettre...

– À la fin ! à la fin ! s'écria une voix de basse-taille derrière lui, voici mon excellent ami et frère le cavalier Fortune, qui vient chercher son manteau et sa soupe !

Fortune se retourna et vit un petit homme tout habillé de brun, maigre, chétif, chauve comme la lune, qui s'élançait vers lui impétueusement, les bras ouverts.

Quoi qu'il en eût, il ne put éviter la plus chaude accolade qu'il eût reçue à brûle-pourpoint en sa vie.

– Voilà du temps que nous ne nous sommes vus, reprit le petit homme, sincèrement attendri ; mon logis n'est pourtant pas bien difficile à trouver ; vous n'aviez qu'à demander, mon cher fils, l'église Saint-Ginès. Depuis que l'église est bâtie, les Pacheco vendent de la futaine en face du portail. Mais mieux vaut tard que jamais ; entrez, cousin, la soupe est au chaud, et nous allons trinquer à la prospérité de notre famille.

III

Où Fortune boit du vin de Xérès

Aussitôt qu'il eut passé le seuil du marchand de futaine, les vapeurs d'une marmite, où mijotait l'« olla podrida » mélangée selon le grand art des cordons bleus Castillans, vinrent gonfler ses narines.

L'« *olla podrida* », ou pot pourri, un peu démodée aujourd'hui, était, on le sait, le pot-au-feu des âges héroïques en Espagne. Pélage en était nourri, et le Cid campéador l'aimait à la folie.

Le petit et noir Michel Pacheco, comme s'il eût deviné les désirs de son hôte, le fit entrer tout de suite dans une salle à manger assez vaste.

La table était servie et portait à son centre une soupière qui s'entourait de six assiettes rangées comme si on eût attendu un nombre égal de convives.

Cependant, outre le marchand de futaine, il n'y avait qu'une femme maigre et très longue qui portait le menton à un bon demi-pied au-dessus de la tête de Michel Pacheco, son mari.

– Voici notre bien cher parent, dit le petit marchand de futaine en lui présentant Fortune dans les formes ; accueillez-le comme il faut, je vous prie, Concepcion, mon trésor. Vous pouvez l'embrasser sans que les malveillants y trouvent à redire.

Puis, se tournant vers le cavalier, il ajouta :

– Voici Concepcion Pacheco, ma compagne, qui a fait le bonheur de ma vie ; vous pouvez l'embrasser sans offenser la morale.

Ceci sautait aux yeux comme un axiome.

On aurait pu même aller plus loin au gré de Fortune et affirmer que le fait d'embrasser Concepcion, le trésor, était une affligeante et cruelle pénitence.

Mais Fortune eût passé par-dessus bien d'autres dangers pour arriver jusqu'à la soupière.

Concepcion, ayant été embrassée, prononça avec lenteur et méthode un bénédicité aussi long qu'elle-même, puis on prit place autour de la table.

– Sers, mon diamant, dit le marchand de futaine, notre cousin a un appétit de voyageur.

Concepcion, obéissante, plongea aussitôt la cuiller dans le potage et emplit jusqu'au bord une assiette que Fortune dévorait des yeux !

– Domingo ! dit-elle tout bas.

Un Noir parut à la porte et traversa la chambre de ce pas furtif qui appartient aux gens de sa couleur.

Concepcion lui tendit l'assiette sans ajouter une parole et le Noir disparut.

La même cérémonie eut lieu pour la seconde et pour la troisième assiette.

Fortune n'eut que la quatrième. Il est vrai de dire qu'il en trouva le contenu excellent et qu'il l'expédia en un clin d'œil.

– Ah çà ! s'écria-t-il, retrouvant toute sa gaillarde humeur à la dernière cuillerée, la mule du pape ! Mon cher cousin et ma chère cousine, je ne me plains pas de l'absence du rousseau, je me console de celle de la duègne, mais pourquoi ne voyons-nous pas la jeune dame ?

Concepcion leva sur lui ses yeux mornes, et le petit Pacheco, glissant sa main sous la table, lui pinça la cuisse jusqu'à lui arracher un cri de douleur.

– Trop parler nuit, murmura-t-il à son oreille.

Puis il se tourna vers celle qui avait fait le bonheur de sa vie, et de son autre main il se toucha le front, comme pour lui dire :

– Le pauvre cousin est un peu fou. Quel malheur !

Concepcion, satisfaite, reprit sa raide impassibilité.

Plusieurs fois pendant le repas, qui fut meilleur et plus abondant que ne le comportait la coutume en Espagne, Fortune essaya de rompre le silence ; mais Conception semblait muette, et, quant au petit Pacheco, il vous avait des réponses à couper la conversation la mieux engagée.

Après le dessert, Conception se leva et récita les « Grâces ».

– Ma perle, lui dit le petit marchand, nous ne reverrons pas notre parent de sitôt, fais-nous monter un flacon de vin d'Andalousie.

Les yeux éteints de Conception se fixèrent sur Fortune avec une expression singulière. Notre cavalier crut y voir une sorte de compassion. Mais la longue femme, après l'avoir salué en cérémonie, sortit sans prononcer une parole.

Le noir Domingo apporta presque aussitôt après le flacon de vin andalou.

– Fermez les portes, s'écria le petit marchand, qui se frottait les mains avec transport. Dieu merci, nous voilà libres, et nous allons passer une agréable soirée ! Concepcion est un joyau avec qui j'ai coulé des jours filés de soie et d'or, mais sait-on ce qu'elle va faire chaque matin au bureau du Saint-Office ?... Buvez de ce vin en confiance, mon camarade, le duc de Médina Coeli ne possède pas toutes les vignes de la campagne de Xérès... Hé ! hé !

Il avait rempli jusqu'au bord le verre de Fortune.

– Quel temps ! continua-t-il avec une croissante volubilité ; quel pays ! quelles mœurs ! que de mystères ! Les pavés nous espionnent, mon ami, les murailles aussi, et aussi les girouettes qui sont sur le clocher des églises. Y a-t-il longtemps que vous connaissez le frère Pacôme ?

Fortune, qui était en train de boire, éloigna le verre de ses lèvres.

– Le frère Pacôme ? répéta-t-il.

– Faites donc l'ignorant ! s'écria le petit marchand sur un ton de caresse. Vous grelottiez ce matin avant d'arriver au pont du Hénarès, sous Alcala, et je suis chargé de vous tailler un manteau dans ma meilleure pièce de futaine.

– Voilà, dit notre cavalier, une attention délicate, et je suppose que ce frère Pacôme est le moine qui regardait couler l'eau sur le parapet du pont.

– Saint Antoine de Padoue, priez pour nous ! gronda Michel Pacheco ! Comment trouvez-vous mon vin, seigneurie ?

– Excellent !

– On ne sait jamais à qui l'on parle. Vous êtes peut-être un grand d'Espagne... avez-vous défiance de moi ?

– Pas le moins du monde, répondit Fortune, qui tendit son verre.

– Alors, déboutonnons-nous, je vous prie, comme d'honnêtes

cœurs que nous sommes. Où allez-vous de ce pas, seigneur cavalier ?

– Je veux mourir sans confession, répondit Fortune, si j'en sais le premier mot.

Michel Pacheco se signa.

– Vous jurez comme un hérétique de France, murmura-t-il.

– Et j'espérais bien, ajouta Fortune, que vous alliez m'apprendre le but de mon voyage. On m'a parlé d'une forêt...

Pacheco sourit et rapprocha son siège.

– Bienheureux saint Jacques de Compostelle, dit-il avec ferveur, quel pays ! Quel temps ! Tout est espion : les choses et les hommes ! Les arbres de la campagne et les oiseaux du ciel ! Est-ce que vous n'en avez pas rencontré sur votre route ?

– Si fait, répartit vivement Fortune, je parie que le rousseau en est un.

Michel Pacheco sourit encore et ajouta tout bas :

– Le petit rousseau qui a une épaule plus haute que l'autre ?

– Et un taffetas vert sur l'œil, acheva Fortune.

Le marchand lui versa un troisième verre en disant :

– C'en est un, et tout particulièrement dangereux.

– Alors, pourquoi diable est-il dans votre maison ? s'écria Fortune. La mule du pape ! Voilà qui est louche !

Michel Pacheco se leva et alla ouvrir toutes les portes pour voir s'il y avait quelqu'un derrière.

– Chut ! fit-il en revenant. Prudence est mère de longue vie. Les murs ont des oreilles, et on n'est jamais brûlé en place publique pour avoir gardé le silence.

Fortune passa la main sur ses paupières qui battaient.

– On dirait que j'ai sommeil, pensa-t-il tout haut ; encore un verre de vin pour me réveiller, s'il vous plaît.

Il avait la langue un peu épaisse.

– Oui, certes, reprit-il en regardant au travers de son xérès jaune et limpide comme une topaze, c'est un singulier pays, et je donnerais bien quelques ducats pour voir au fond de mon aventure... Dites-moi, cousin, cette jeune femme voilée qui sortait de l'église et qui est entrée chez vous avec sa duègne me trotte par la tête. J'ai cru reconnaître la Française.

Le marchant de futaine fit un soubresaut à ce nom.

– Êtes-vous donc aussi de cette affaire-là, mon camarade ? dit-il en joignant les mains.

– Quelle affaire ? interrogea Fortune, sang de moi ! Je voudrais bien savoir de quelle affaire je suis.

Michel Pacheco baissa les yeux et ne répondit point !

Du reste, à dater de ce moment, il eut peu de frais à faire pour soutenir la conversation.

Pendant quelques minutes, Fortune lutta contre le pesant sommeil qui s'emparait de lui. Il battit la campagne, parlant de son manteau, de son cheval et de la *posada* du Taureau-Royal, qu'il voulait regagner ; puis ayant encore essayé de se lever, il chancela et s'étendit commodément sur le carreau, où il ronfla bientôt comme une toupie.

Michel Pacheco s'agenouilla auprès de lui et se mit à le fouiller fort dextrement, retournant avec soin chacune de ses poches.

Il déposa le sac de deux cents *douros* en lieu sûr et sans y attacher une grande importance. Ce n'était point cela évidemment qu'il cherchait.

– Pas un papier ! grommela-t-il. Son Éminence est un fin compère. Moi, qui sers les deux parties à la fois, je marque un point à Son Éminence.

Il ouvrit un placard ménagé dans le mur et y prit un volumineux paquet de hardes noires.

Puis il appela Domingo.

Quand le nègre fut venu à l'ordre, il lui dit :

– Tu vas faire la toilette de ce cavalier des pieds à la tête, et ne te gêne pas pour le tourner et retourner comme si c'était mannequin, il n'y a point de danger qu'il s'éveille.

Fortune s'éveilla pourtant, mais ce fut seulement le lendemain matin, et dans une position si extraordinaire qu'il crut être le jouet d'un cauchemar.

Il avait froid ; sa tête était lourde ; quelque chose trottinait sous lui, quelque chose qui n'était point son bon cheval.

Sur cette monture qui lui sembla d'abord étroite et basse comme une chèvre, deux robustes mains le soutenaient à droite et à gauche.

Il voulut lever les doigts pour frotter ses yeux troublés, ses deux bras s'embarrassèrent dans un vêtement flottant et large qu'il n'avait point coutume de porter.

Sa première pensée fut pour le manteau promis par son hôte Michel Pacheco, l'excellent marchand de futaine ; mais cela ne ressemblait point à un manteau de cavalier, et d'ailleurs il n'y avait dessous ni pourpoint ni soubreveste.

– Par tous les diables d'enfer ! s'écria Fortune, qu'est-ce que c'est que cette mascarade ?

Une voix gutturale répondit à sa droite :

– « *Virgen immaculada.* »

Tandis qu'à sa gauche un organe flûté prononçait :

– « *Sin peccado concebida.* »

Les yeux de Fortune se dessillèrent, pour le coup : il se vit en rase campagne monté sur un âne de la pire espèce et portant le costume d'un Père de la Foi : soutanelle de cure, fendue aux hanches, chausses de panne, manteau droit sur lequel retombait un rabat empesé.

Il était coiffé, en outre, de cet immense chapeau que la comédie de Beaumarchais a rendu si populaire : le couvre-chef de Bazile.

Deux Pères de la Foi, portant exactement le même costume que lui et comme lui montés sur des ânes, l'accompagnaient.

– Par la morbleu ! dit-il, ceci passe les bornes et n'était point dans mes conventions avec M. le cardinal.

– Mon frère, prononça gravement le padre qui était à sa droite, il vous a été enjoint de ne pas jurer.

– Et il vous avait été enjoint de ne point boire, ajouta le padre qui était à sa gauche.

– Mais enfin, s'écria Fortune, saurai-je au moins ce qu'on attend de moi ?

Le padre de gauche dit :

– « *Virgen immaculada.* »

Et le padre de droite repartit :

– « *Sin peccado concebida.* »

Et tous deux, en même temps, entrouvrant leurs manteaux de bure, montrèrent d'énormes pistolets tromblons passés dans leurs cordelières.

D'instinct, Fortune tâta sa ceinture, où il n'y avait rien, sinon un rosaire.

La route se poursuivit désormais en silence.

Vers les dix heures du matin, la caravane fit halte un peu au-delà du bourg de Hita, dans une venta villageoise qui semblait fort misérable, mais où l'on trouva un déjeuner abondant.

Les deux Pères de la Foi, compagnons de Fortune, ne prononcèrent pas une parole en prenant leur repas, mais firent preuve d'un mémorable appétit.

Une fois remontés sur les ânes, le padre de droite et le padre de gauche prirent en main des rosaires d'une longueur démesurée, en avertissant Fortune qu'il avait le droit, lui aussi, de se livrer à ce délassement.

On dîna vers deux heures après midi. Il semblait que les bons Pères eussent un maréchal des logis invisible qui préparait pour eux d'excellents repas dans des endroits impossibles.

À cinq heures du soir, aux environs de la petite ville de Jadraque, où devait se faire la couchée, nos voyageurs rencontrèrent pour la première fois les mouvements de terrain qui annonçaient la chaîne de la Guadarrama.

C'était dans un fond pittoresque. La route passait sur un vieux pont romain qui traversait l'inévitable Hénarès.

Au-delà du pont, le paysage se relevait, gravissant déjà des croupes escarpées.

Un homme montait la rampe, chevauchant au trot sur une grande mule. Il se retourna au bruit que faisaient nos voyageurs, et Fortune, qui l'avait déjà reconnu à ses épaules difformes et à ses cheveux roux, put voir sur son œil le fameux emplâtre de taffetas vert.

– Mes Pères, s'écria-t-il, quelle que soit l'entreprise où nous sommes engagés ensemble, défiez-vous de ce misérable, c'est le plus dangereux de tous les espions !

Le rousseau s'était arrêté au sommet de la côte et dirigeait vers le pont un regard curieux.

Mais en ce moment des pas de chevaux firent sonner les cailloux de la route, obligeant Fortune et ses deux compagnons à regarder derrière eux.

Un tourbillon de poussière arrivait, rapide comme le vent.

Du nuage, se dégagèrent une femme d'abord, vêtue en amazone, puis quatre gentilshommes.

Ils couraient à bride abattue.

Au moment où ils traversaient le pont, dépassant nos voyageurs, le vent souleva le voile de l'amazone, et Fortune ne put retenir un cri.

Il avait reconnu le charmant visage de la dame mystérieuse qui s'était montrée la veille à la portière de la chaise.

Et il eût juré que la Française lui avait adressé en passant un gracieux sourire.

IV

Où l'on appelle pour la première fois Fortune « M. le duc »

Ce bon Michel Pacheco était payé pour ne point tromper quand il parlait d'espions échelonnés sur la route. Il ajoutait des profits politiques à son commerce de futaine, servant le roi et la ligue tour à tour, comme il convient à un marchand obligeant qui ne veut mécontenter aucune de ses pratiques.

Une comédie, qui rappelait par de certains côtés les finesses cousues de fil blanc de la Fronde, se jouait entre Paris et Madrid, et tout le long du chemin il y avait des gens qui, comme Michel Pacheco, sans savoir au juste de quoi il s'agissait, connaissaient supérieurement les masques.

On faisait du mystère à foison, car une conspiration qui ne se donnerait point la joie de la mise en scène périrait d'ennui dès le début.

C'était une gageure établie de gouvernement à gouvernement. Philippe V envoyait en France des torches et des poignards ; le régent surveillait, en Espagne même, la marche de cette contrebande, afin de l'arrêter plus sûrement à la frontière.

Philippe V avait à Paris son ambassadeur, Antoine Giudice, duc de Giovenazzo, prince de Cellamare, qui eut l'honneur de laisser son nom à la conspiration, et une multitude d'affidés secondaires parmi lesquels les mémoires et les romans ont noté surtout l'abbé de Porto-Carrero. Il avait en outre la faction des princes légitimés, à la tête de laquelle était Mme la duchesse du Maine. Il avait enfin les mécontents de Bretagne, croisés contre la régence du duc d'Orléans sous le nom des chevaliers de la Mouche-à-miel. À Rome, la princesse des Ursins travaillait pour lui malgré ses quatre-vingt ans et, en Angleterre, le comte de Mar levait une armée à ses gages.

Le régent n'avait garde de rester en arrière ; il savait par cœur l'Espagne et les Espagnols.

On ne devine pas au premier abord pourquoi ce pays austère et ces gens sobres sont si faciles à acheter, mais l'expérience prouve qu'il suffit de montrer une poignée de doublons pour avoir là-bas deux poignées de traîtres.

Le régent entretenait des intelligences dans la maison même du cardinal Alberoni.

Il n'était pas, dit-on, sans échanger quelque correspondance secrète avec Élisabeth Farnèse, seconde femme de Philippe V.

En ce temps, les Italiens, peu à peu éliminés de France, avaient envahi l'Espagne, comme on peut le voir par ces quatre noms, les seuls que nous avons encore prononcés : Alberoni, Farnèse, Giudice de Cellamare et la princesse des Ursins (Orsini).

Le régent, trop fin pour compromettre son ambassadeur ordinaire, avait à Madrid M. de Goyon en qualité de diplomate privé, et le Génois Ferrari qui tenait ses caisses d'achats et de ventes...

Les bons serviteurs comme Michel Pacheco avaient un compte chez Ferrari et un autre à la caisse du cardinal.

Et la comédie marchait d'un pas paisible, les courriers se croisaient en chemin avec les espions : on allait, on venait, on se déguisait, on se perdait, on se retrouvait. Il arrivait même quelquefois qu'on échangeait par excès de zèle quelques coups d'épingles ou quelques coups d'épée.

Nous savons que Fortune avait son étoile, et notre inquiétude pour lui dans cette petite guerre est assez mince.

Il arriva à Siguenza sous son respectable costume de Père de la Foi et traversa la sierra entre ses deux saints compagnons.

Le surlendemain, en s'éveillant dans une bonne auberge de la ville de Soria, il se trouva seul. Le padre de droite et le padre de gauche avaient disparu sans même lui dire en façon d'adieu : « *Virgen immaculada, sin peccado concebida.* »

Auprès de son lit il y avait un brillant costume de cavalier.

Il sauta tout joyeux hors de ses draps et se hâta de faire sa toilette.

À peine eut-il passé son pourpoint que le maître de l'hôtellerie entra, suivi d'une demi-douzaine d'*alguazils.*

– Voici, dit l'hôtelier en montrant du doigt notre ami Fortune, le gentilhomme que vous devez conduire à la prison de Tudela. Faites votre devoir !

La première pensée de Fortune fut de se défendre ; mais un petit *alférez*, gros comme le poing et qui semblait fort méchant, montra sa tête imberbe derrière les *alguazils* et s'écria d'une voix flûtée :

– Qu'on le saisisse ! qu'on le désarme ! qu'on le garrotte !

Au lieu de tirer son épée, Fortune se mit à regarder de tous ses yeux le petit *alférez* qui semblait sourire derrière ses sourcils froncés.

Il ressemblait trait pour trait à la jolie dame de la litière, à l'amazone dont le vent avait soulevé le voile sur le pont romain de Hénarès.

Fortune se laissa appréhender au corps sans résistance, on le hissa à cheval avec les menottes aux mains, et le petit *alférez*, dont le visage enfantin s'abritait maintenant sous un large sombrero, prit la tête de l'escorte.

On se mit en route pour Tudela. En chemin, ce diable de rousseau – le plus dangereux des espions signalés par Michel Pacheco – toujours bossu d'une épaule, toujours monté sur une grande mule et toujours portant un taffetas vert à l'œil, semblait suivre de loin la caravane.

Plusieurs fois Fortune remarqua que le coquin riait en lui jetant des regards sournois.

Il lui semblait que l'épaule bossue avait changé de côté, comme autrefois l'emplâtre avait passé d'un œil à l'autre.

Mais Fortune ne se souvenait pas bien si la bosse, dans l'origine, était à droite ou à gauche, de même qu'il avait oublié si au début le taffetas sur l'œil était à gauche ou à droite.

Les infirmités de ce coquin de rousseau allaient et venaient. C'était véritablement une créature fantastique.

On s'arrêta pour dîner à Cervera, après avoir descendu les dernières pentes de la Sierra Oncala.

Comme toujours depuis que la route était commencée, la chère fut bonne, malgré le misérable état de la *posada* où le repas se prenait.

Les *alguazils* avaient apporté un honnête panier de provisions qui contenait quelques bouteilles de délicieux vin des Açores.

Fortune mangea de grand appétit et eut le plaisir de voir par la fenêtre le rousseau, ce vil scélérat, qui frottait une gousse d'ail sur une croûte de pain sec.

Le petit *alférez*, qui dînait seul à une table pour le décorum de son grade, ne mangeait pas plus qu'un oiseau et trempait à peine ses jolies lèvres dans l'or liquide du madère.

C'était bien la Française : Fortune n'en pouvait douter.

Et, comme il ne la quittait point des yeux, il s'aperçut deux ou trois fois que la charmante personne détournait ses regards de lui avec un certain trouble. Sans être fat, Fortune avait conscience de ses avantages. Il se dit :

– Cette aimable demoiselle et moi nous serons une paire d'amis avant la fin du voyage, je connais mon étoile.

Cela vint plus tôt qu'il ne le pensait.

Au moment où l'on remontait à cheval le petit *alférez* s'approcha de lui sans faire semblant de rien et murmura :

– Pauvre cher duc, vous n'êtes pas au bout de vos peines...

« En route, ajouta-t-il de sa gentille voix, et veillez bien sur le prisonnier.

Ce misérable rousseau était en train de se jucher sur sa grande mule.

On se remit en marche.

Pour le coup, Fortune se demanda si ses oreilles n'avaient point tinté.

Mais non, il avait entendu ; la Française avait dit : Mon cher duc...

Le soir, à Tudela, au lieu d'aller en prison il coucha dans le taudis de l'un des *alguazils* qui lui procura le lendemain matin une perruque grise et une robe de pénitent dont il s'affubla pour gagner Tafalla.

Il fit la route de Tafalla à Pampelune en mendiant.

La Française ne se montrait plus, mais à chaque détour du chemin, il voyait cette odieuse grande mule au-dessus de laquelle les cheveux ardents du rousseau semblaient flamboyer sous les rayons du soleil.

À Pampelune on le déguisa en paysanne navarraise, et ce fut ainsi qu'il franchit la chaîne des Pyrénées par la vallée de Roncevaux.

Il était en France.

La première figure qu'il vit sur le sol de la patrie fut celle du rousseau, qui le regardait passer, par la fenêtre du corps de garde de la frontière.

À cent pas du corps de garde, une escouade de contrebandiers le dépassa en courant ventre à terre.

Il y avait parmi ces contrebandiers un tout petit cavalier qui souleva son large chapeau en passant auprès de lui...

C'était la Française qui lui jeta ces mots rieurs :

– À bientôt, madame la duchesse !

En même temps, un villageois à cheveux blancs, qui arrivait au pas de son bidet, lui dit par derrière :

– N'êtes-vous point la fermière de M. de La Roche-Laury, ma fille ? Montez en croupe derrière moi ; on peut faire de mauvaises rencontres dans la forêt et je suis chargé de vous conduire où vous devez aller.

Notez qu'il n'y avait pas trace de forêt.

Fortune ne se fit point prier.

Ils arrivèrent sur le tard à Saint-Jean-Pied-de-Port ; le vieux paysan frappa à la porte d'une grande maison située sous la citadelle.

On ouvrit, et le rousseau s'élança dehors pour prendre aussitôt ses jambes à son cou et se perdre dans les petites ruelles qui descendaient vers la ville.

Le villageois et Fortune furent introduits par un valet en livrée dans une vaste salle où se tenait une jeune femme vêtue à la dernière mode de la cour de France.

Il suffit à Fortune d'un coup d'œil pour reconnaître en elle le petit contrebandier, l'*alférez* imberbe, l'amazone et la voyageuse de la litière.

Il pensait bien que le mystère allait enfin s'expliquer et songeait même à demander pourquoi on l'avait appelé une fois monsieur le duc, une fois madame la duchesse.

Mais la Française, en se levant pour saluer les deux nouveaux venus, posa rapidement son doigt mignon sur sa belle bouche.

Elle tendit son front, que le vieux villageois baisa.

– Monseigneur, demanda-t-elle, permettez-vous que j'expédie ce bon garçon avant de recevoir vos ordres ?

Fortune ouvrait de grands yeux.

Le mystère, au lieu de s'éclaircir, épaississait son voile.

Ce paysan, qu'on appelait monseigneur, répondit :

– Faites, ma toute belle, j'ai le temps d'attendre.

Il s'assit.

La Française vint à Fortune et, s'armant d'une paire de ciseaux, trancha en un tour de main tous les lacets de sa basquine navarraise.

Elle l'en dépouilla ensuite fort adroitement.

Fortune restait planté devant elle comme un mai, et la charmante fille ne se faisait point faute de malicieusement sourire.

Elle s'assit auprès d'une table où était la lampe et se mit à découdre la basquine du haut en bas.

Entre l'étoffe et la doublure, il y avait plusieurs papiers.

L'étonnement de Fortune augmentait en même temps que sa curiosité.

– La mule du pape ! pensait-il, j'étais commissionnaire sans le savoir.

Et il devinait sur les lèvres moqueuses de la jolie dame ses mots déjà prononcés :

– Pauvre cher duc !

Quand la Française eut achevé sa besogne, elle s'assembla les papiers et sortit, non sans adresser à Fortune un signe de tête presque caressant.

Notre cavalier resta seul avec le villageois à barbe blanche.

Celui-ci desserra enfin les dents et dit, en tournant paisiblement ses pouces :

– Si Son Altesse Royale madame la duchesse du Maine vous

demande des nouvelles de l'Armada, vous lui direz qu'il y a cent navires de guerre dans les eaux de Cadix et que sous un mois ils peuvent croiser entre Brest et Lorient. Si elle daigne s'informer du cardinal de Polignac, vous lui répondrez qu'il va reprendre sous peu le chemin de Paris !

– Je vais donc à Paris ! s'écria Fortune. Sang de moi ! voilà une bonne nouvelle !

La Française rentrait en ce moment. Elle tenait d'une main un paquet assez volumineux, de l'autre une de ces cannes à long bout de cuivre que les compagnons du tour de France portaient dans leurs voyages, alors comme aujourd'hui.

La Française remit à Fortune le paquet et la canne.

– Vous allez en effet à Paris, lui dit-elle, par Mont-de-Marsan, Bergerac, Périgueux, Limoges, Châteauroux, Romorantin, Orléans, Fontainebleau et Melun. Tel est votre itinéraire, dont, sous aucun prétexte, il ne vous sera permis de vous écarter. Ceux à qui vous devez obéissance sont contents de vous, mais mon devoir est de vous prévenir que votre traversée d'Espagne n'était qu'un jeu d'enfant auprès des périls qui vous attendent en France, si vous ne suivez pas avec une aveugle obéissance les instructions qui vous seront données en chemin. Vous êtes pauvre et sans appui dans le monde...

Ici, la Française fit une légère pause. Sa mine espiègle avait une expression à peindre.

– Il vous importe, poursuivit-elle en retenant à grand'peine son rire qui voulait éclater, il vous importe, jeune et passablement tourné comme vous l'êtes, de gagner tout d'un coup ce qu'il faut pour vous assurer un honnête établissement. Si vous arrivez à bon port, ce qui dépend de vous, une généreuse récompense vous attend ; si, au contraire, vous tombez dans les pièges qui vous seront tendus, si vous vous laissez prendre, vous n'aurez à compter sur personne. Les puissants protecteurs qui vous seraient acquis en cas de succès rentreront sous terre dans l'hypothèse d'une défaite. Engagés comme ils le sont dans une entreprise de première importance, il ne leur serait pas permis de se compromettre pour venir en aide à un humble serviteur tel que vous.

Ici, nouveau sourire, et la belle jeune femme n'avait pas besoin de se gêner, car monseigneur, le villageois à barbe blanche, tournait le dos et semblait complètement étranger à l'entretien.

Nous devons confesser que ce sourire de la Française intriguait Fortune outre mesure et le faisait donner au diable.

Fortune n'était pas éloigné de croire que cette charmante créature, toute pétillante de vivacité et d'esprit, en savait sur lui plus long que lui-même.

Il n'était pas très ferré sur l'histoire authentique de sa naissance, et son imagination avait bâti souvent de superbes châteaux sur la base de l'inconnu.

Le vieux villageois s'agita sur son fauteuil.

– Avons-nous fini, ma toute belle ? murmura-t-il avec un peu d'impatience.

– Pas encore, Monseigneur, répondit la jeune dame, il ne faut négliger aucune recommandation.

– Vertu Dieu ! gronda le bonhomme, si vous en racontez aussi long que cela à chacun de ces braves garçons, votre journée ne doit pas suffire à ce fastidieux catéchisme !

Les beaux yeux de la Française, fixés sur Fortune, disaient clairement :

– Monseigneur ne sait pas devant qui il parle !

V

Où Fortune trouve les cheveux, l'épaule et l'emplâtre du rousseau

La Française reprit, continuant l'éducation de Fortune :

– Je n'ai pas à vous cacher, mon ami, que Son Éminence a d'autres messagers que vous sur la route de Paris. Vous n'emportez rien d'ici en fait de dépêches, sinon ce signe (elle montra la canne de compagnon) qui vous servira en même temps de défense et de passeport. Vos dépêches vous seront remises en chemin, peut-être sans que vous vous en doutiez. À chaque couchée, vous recevrez les instructions pour l'étape du lendemain. N'ayez pas l'air de fuir les espions que vous rencontrerez à foison sur votre route, aucun d'eux ne vous connaît, vous pourrez passer à visage découvert.

Cette fois, Fortune protesta.

– Il y en a au moins un qui me connaît ! dit-il.

– Lequel ? demanda la jeune dame.

– Vous pourriez peut-être m'apprendre son nom que j'ignore, repartit Fortune avec humeur ; m'est avis que votre confrérie contient plus d'un pèlerin qui ménage la chèvre et le chou. Celui dont je parle est bossu de l'épaule gauche ou de la droite, à son choix, borgne de l'œil gauche ou de l'œil droit, à sa fantaisie, et porte sur la tête au lieu de cheveux les plus vilains poils que j'ai vus jamais à la queue d'une vache rousse... il sortait d'ici quand je suis entré.

La jeune femme, cette fois, parvint à prendre son sérieux.

– Celui-là, dit-elle, vous ne le rencontrerez plus jamais !

– Est-ce ainsi ? murmura notre cavalier tout joyeux, car il traduisait cette réponse à sa manière, l'aurait-on expédié dans l'autre monde ce soir ? La nuit est noire et cette bourgade de Saint-Jean-Pied-de-Port a l'aspect qu'il faut pour ces sortes d'exécutions. La mule du pape ! Le coquin me gênait, et je dis que c'est là une excellente affaire !

La jeune dame poursuivit sans ajouter aucune allusion à ce sujet :

– Prudence et discrétion ! Ne jouez pas, ne buvez pas, ne vous querellez pas !

– Son Éminence m'a déjà chanté cette antienne, grommela Fortune. Sang de moi ! Il y a beaux temps que je ne jure plus.

– Faites le plus de diligence que vous pourrez, continua la Française, votre récompense sera de mille pistoles, mais il y aura mille autres pistoles de prime pour celui qui arrivera le premier...

« J'ai fini, Monseigneur, s'interrompit-elle.

Puis elle dit encore, en conduisant Fortune vers la porte :

– Si vous ne recevez pas en chemin d'autres messages, vous entrerez à Paris par le village de Bercy et vous vous rendrez au quartier des Halles, dans la rue des Bourdonnais, où vous demanderez le logis du sieur Guillaume Badin, première basse de viole à l'Opéra, et vous lui remettrez cette canne, en disant, souvenez-vous bien de cela : « Voici une gaule que j'ai coupée dans la forêt. »

Fortune répéta, pour graver ces mots dans sa mémoire :

– Voici une gaule que j'ai coupée dans la forêt.

– Maintenant, reprit la jeune dame avec le plus beau de ses sourires, bon voyage, ami Fortune, et que Dieu vous protège !

Elle prit en même temps la main de notre cavalier, qui sentit fort bien la pression des plus adorables doigts qu'il eût jamais admirés.

Il ne put s'empêcher de murmurer, rouge de plaisir et de crainte :

– Madame, me sera-t-il donné de vous revoir ?

La Française resta un instant sans répondre, puis elle le poussa dehors d'un geste enjoué en disant, si bas qu'il eut peine à l'entendre :

– Duc, vous jouez votre rôle admirablement !

La porte se referma.

Fortune se trouva seul dans un corridor obscur, où une main prit la sienne dans l'ombre.

– Venez, lui fut-il dit.

C'étaient encore une main et une voix de femme.

On lui fit traverser une assez longue galerie dont les fenêtres donnaient sur un terrain planté d'arbres, puis, brusquement, on l'introduisit dans une chambre bien éclairée, petite et tendue de couleur claire, qui ressemblait en vérité à un boudoir.

Son guide était une manière de soubrette au minois éveillé, à l'allure essentiellement parisienne.

– Vous m'avez cru bien vieille, dit-elle en riant, là-bas sur le parvis de l'église Saint-Ginès ?

– À Guadalaxara ! s'écria Fortune ; c'était vous la duègne ? Et vous demeuriez chez ce coquin de Pacheco qui m'a endormi pour me déguiser en prêtre après m'avoir volé les *douros* du cardinal !

– Ne me parlez pas de ces Espagnols, répliqua la soubrette, avares comme des fourmis et voleurs commes des pies ! Il y en a deux ou trois qui m'ont fait la cour et je croyais bien avoir mes étrennes ; je t'en souhaite ! ils ont joué de la guitare sous ma fenêtre, et puis c'était tout ; d'ailleurs, ils sentent l'échalote !

Fortune, voyant sa compagne en si belle humeur, voulut tirer d'elle quelque renseignement au sujet de la Française et de ce villageois qu'elle appelait monseigneur.

Mais la soubrette avait sa leçon faite ; elle répondit seulement :

– Il n'y a pas beaucoup de paysannes navarraises qui soient aussi jolies que vous, savez-vous ? la place où était votre moustache est douce comme velours. Je pense bien que vous faites l'innocent, et comment n'en sauriez-vous pas plus long que moi ?

– Je te jure... commença Fortune.

– Cela ne vous coûte rien de jurer, à vous !... vous avez fait tant de serments !... Voilà, c'est un rude voyage, après tout, mais on peut bien souffrir un peu pour être prince !

Fortune n'en était pas à deviner qu'on le prenait ici pour un grand seigneur déguisé. Cette méprise le flattait, mais il aurait voulu savoir le nom du sosie qu'il avait dans les hautes régions de la cour.

– Mademoiselle, reprit la soubrette, a bien parlé de vous le long du chemin.

– Alors, c'est une demoiselle ? dit Fortune.

– Ou une dame, répliqua la soubrette, vous comprenez que chacun de nous s'en tire comme il peut. Elle a dit : « Je veux qu'il ait au moins ses aises pour cette nuit, et que demain il puisse faire sa toilette comme s'il était en son hôtel de la rue Croix-des-Petits-Champs... »

« On a fait ce qu'on a pu, ajouta-t-elle en promenant son regard autour de la chambre, et vous nous excuserez s'il manque quelque chose : Saint-Jean-Pied-de-Port n'est pas Paris !

Elle déposa sur la table un objet qui rendit un son argentin, fit une leste révérence et disparut.

Fortune resta seul.

Il regarda en premier lieu l'objet qui avait sonné sur la table : c'était une bourse élégante et passablement garnie.

Le boudoir était en vérité fort galant. La toilette surtout, équipée de mousseline rose, contenait, outre les savons et les essences, une multitude d'instruments dont notre ami Fortune, qui n'était pas un sybarite, n'aurait point su deviner l'usage.

Le lit était coquet, moelleux, tout drapé de lampas et de dentelles.

Fortune ne s'avoua pas cela, mais il espérait vaguement que, cette nuit, une jolie main gratterait peut-être à la porte...

Et certes il ne songea même pas à dénouer le paquet que lui avait remis la Française.

C'était son costume du lendemain, il savait cela, et, d'après la façon dont on le traitait, son costume ne pouvait être que convenable.

Une fois franchie la frontière de France, le danger, comme on le lui avait dit, pouvait être plus sérieux, mais au moins le temps était passé des comédies malséantes et des déguisements ridicules.

Il allait redevenir lui-même, et pour faire les deux cents lieues qui le séparaient encore de Paris, il allait sans nul doute trouver un bon cheval à la porte de cette maison hospitalière.

Fortune se mit au lit en songeant ainsi. Jamais il ne s'était étendu sur de pareils matelas, qui sentaient l'ambre, et où son corps enfonçait comme s'il se fût plongé dans un bain.

Il avait eu d'abord la pensée de se tenir éveillé à tout événement, mais au bout de trois minutes il ronflait comme un clairon.

Aucune aventure galante ne vint l'éveiller, aucune main douce ou rude ne gratta à sa porte, et quand il s'éveilla, le lendemain, il faisait déjà grand soleil.

Au fond du lit, où il y avait une glace drapée de guipure, le cordon d'une sonnette pendait.

Il sonna, plutôt que de sauter hors de son lit pour commencer sa toilette.

Ce fut un petit vieillard qui entra : un Israélite au nez crochu comme un bec de perroquet.

– Qui êtes-vous ? lui demanda Fortune.

– Le maître de céans, répondit le petit homme, et je croyais que la dame aurait pris pour elle cette chambre que je loue aux voyageuses de distinction.

– Où est la dame ?

– Elle est partie de grand matin avec toute sa suite. J'espère, mon gentilhomme, que vous allez en faire autant, car la maison est à louer, et vous ne voudriez pas faire perdre à un père de famille l'occasion de gagner sa vie.

« Mais, s'interrompit le juif, dont le regard inquisiteur avait fait le tour de la chambre, à quel sexe appartenez-vous, s'il vous plaît ? Je ne vois ici que des vêtements de femme.

– Apportez-moi ceci, répondit Fortune en désignant le paquet qui lui avait été remis la veille au soir ; cette enveloppe contient mes véritables habits.

Le petit vieillard obéit, et Fortune dénoua l'étoffe qui entourait le paquet.

Aussitôt que les coins de l'enveloppe tombèrent, le petit juif s'élança vers le lit comme un furieux.

– Misérable ! s'écria-t-il, osez-vous bien apporter dans une chambre qui coûte un écu tournoi par jour de semblables vilénies !

Fortune, à vrai dire, était aussi indigné que lui.

Le paquet contenait un costume de compagnon maçon, usé, déchiré et tout souillé de plâtre.

Fortune n'aurait pas cru qu'il pût regretter sa jupe de paysanne navarraise !

– Holà ! bonhomme ! s'écria-t-il, voici qui passe la permission ! Vous devez avoir de près ou de loin des accointances avec ces gens-là. Je veux que le diable m'emporte si je consens jamais à revêtir ces guenilles.

Le juif se prit à le considérer curieusement.

Il y aurait peut-être quelque chose à gagner, grommela-t-il entre haut et bas, en amenant ici monsieur le bailli et les gens de la sénéchaussée.

Fortune n'entendit point cela, mais le regard cauteleux du bonhomme parlait aussi, et Fortune comprit son langage.

– N'êtes-vous point de la bande ? s'écria-t-il en bondissant hors des draps. Alors je vous retiens comme otage et vous allez me servir de valet de chambre !

Son puéril courroux était dissipé ; il rentrait dans le sentiment de sa situation.

En un clin d'œil, avec l'aide du vieux juif qui le secondait bon gré mal gré, Fortune eut revêtu son déguisement nouveau.

Il prit la bourse, il n'oublia pas la canne, il enferma son hôte dans le boudoir, et l'instant d'après, franchissant les portes de Saint-Jean-Pied-de-Port, il s'engageait à grands pas sur la route de Mauléon.

– À tout prendre, se disait-il déjà consolé, car il avait un excellent caractère, je n'ai pas à quereller mon étoile. Ces habits ne sont pas somptueux, mais je ne rencontrerai personne de connaissance qui puisse m'en faire rougir, et du diable si un pareil accoutrement ne me met pas à l'abri des voleurs ? J'aurais mieux aimé voyager à cheval, mais le temps est beau et j'ai de bonnes jambes : tout est probablement pour le mieux : j'ai donné dans l'œil, c'est certain, à la charmante demoiselle : elle a choisit ces guenilles dans mon intérêt : figurons-nous seulement que nous sommes en temps de carnaval !

« La mule du pape ! s'interrompit-il, je crois que je mourrais de honte si ses grands yeux moqueurs étaient en ce moment sur moi !

Il suivait la route montueuse aussi vite qu'un cheval au trot.

Il dépassa Mauléon et poussa son étape jusqu'à Orthez, où un compagnon menuisier l'aborda dans la rue pour lui offrir l'hospitalité.

Ainsi en fut-il le lendemain à Mont-de-Marsan, de la part d'un compagnon tailleur de pierre.

Le surlendemain, même aventure à la troisième couchée.

Tout allait droit ; il n'y avait pas un pli, pas un obstacle, pas un détour.

Il lui arrivait bien souvent de souper avec de riches bourgeois et même avec des gentilshommes.

Deux ou trois fois il fut conduit dans des presbytères, le compagnon qui l'accostait se trouvant être un prêtre ou un abbé.

Une chose qui doit être notée, c'est que, selon la promesse de sa protectrice inconnue, de Saint-Jean-Pied-de-Port à Paris, Fortune ne rencontra pas une seule fois le rousseau.

On s'était débarrassé sans aucun doute de cet odieux personnage.

Du reste, cette charmante personne qu'on appelait la Française, était également devenue invisible.

Tout alla bien jusqu'à Melun et même jusqu'au bon bourg de Montgeron, situé au delà de Lieusaint.

Il ne s'était point battu, il n'avait point bu outre mesure et s'il avait juré, peu importait, puisqu'il n'était plus en Espagne.

Le naufrage a lieu quelquefois tout près du port.

À Montgeron, qui était la dernière étape, Fortune ne fut conduit ni dans une maison bourgeoise, ni dans un château, ni dans un presbytère ; on le mena tout uniment à l'auberge où il se trouva entouré de joyeux vivants.

Lors de son arrivée, le maître de l'auberge lui avait dit qu'il ne pourrait avoir sa chambre avant minuit parce qu'elle était occupée par un voyageur, lequel avait dormi toute la journée et devait se remettre en route pour Paris vers les onze heures du soir.

Il faisait chaud et les routes étaient assez sûres, depuis qu'on avait mis à la raison la bande de Cartouche ; il n'était point rare de voir les piétons faire leur étape la nuit pour éviter l'ardeur du soleil.

Fortune, n'ayant pas le choix, puisque l'auberge était pleine à regorger, accepta la chambre, et pour tuer le temps se réunit aux joyeux vivants qui étaient dans la salle commune.

Le temps fut tué tant et si bien que quand on vint chercher

Fortune, vers minuit, pour le mener à sa chambre, il avait la tête lourde, les yeux éblouis et le diable dans sa poche.

De toutes ses économies il ne lui restait pas un écu.

– Voilà bien mon étoile ! dit-il à ses compagnons en leur souhaitant la bonne nuit gaiement. S'il m'était survenu pareille déconvenue entre Limoges et Orléans, par exemple, j'aurais pu éprouver de l'humeur ; mais ici, à deux pas de Paris, vogue la galère ! je me soucie de mon boursicot perdu comme d'une guigne !

Il monta à sa chambre en chantant. Sous les draps blancs qu'on venait d'y mettre, le lit du voyageur était encore tiède.

Fortune commença à se déshabiller paisiblement et il allait se fourrer sous la couverture, lorsqu'un objet attira tout à coup son attention et sembla fasciner son regard.

C'était une perruque rousse, tombée à terre et sur laquelle la lampe jetait un vif rayon.

Fortune, demi-nu qu'il était, se jeta sur cette perruque comme sur une proie.

Il l'avait reconnue d'un coup d'œil.

Mais quand il l'approcha de la lumière pour l'examiner mieux, il vit sur la table une bande de taffetas vert formant emplâtre, aux deux extrémités de laquelle se rattachaient des ficelles.

En même temps son pied foula un objet de consistance molle qu'il ramassa.

C'était une sorte de tampon de forme oblongue, fait avec des chiffons et de l'étoupe.

Fortune aurait eu de la peine à reconnaître la nature de ce dernier objet s'il n'y avait eu la perruque rousse et l'emplâtre.

Les trois objets réunis ne lui laissaient pas l'ombre d'un doute : il avait devant les yeux l'épaule, la tignasse, l'emplâtre de son ennemi le rousseau.

– La mule du pape ! s'écria-t-il en devenant tout pâle, c'est lui qui a dormi dans ce lit !... et il est en route vers Paris !... Si je n'arrive pas avant lui aux barrières, le scélérat est capable de me dénoncer et de me faire pendre !

VI

Où Fortune fait un métier de chien

Après une pareille découverte, le plus sage était de payer sa dépense à l'auberge et de gagner au pied pour tâcher d'arriver le premier aux barrières de Paris.

Mais là gisait justement la difficulté. Fortune faisait toujours les choses en conscience : il avait tout perdu, jusqu'à son dernier rouble, et je crois même qu'il restait pour un peu le débiteur des joyeux vivants avec qui il avait passé la soirée.

Il ouvrit sa fenêtre.

Le temps était magnifique.

Toutes les étoiles brillaient au ciel, y compris la sienne.

Il ne s'agissait en définitive que de sauter dans le jardin de l'auberge et de franchir un mur pour se trouver libre sur la grande route.

Fortune se dit :

– J'ai encore la bonne chance, car mes habits sont de ceux qu'on ne peut point gâter en pareille aventure.

Il sauta.

Mais je ne sais comment cela se fit, car c'était un garçon leste et adroit de son corps, sa jambe porta à faux et il se blessa en tombant.

Il traversa néanmoins le jardin le mieux qu'il put et parvint à franchir le mur qui était bas et demi-ruiné.

Une fois sur la route, il tâta sa jambe blessée qui était la droite, et se dit, dans la bonne envie qu'il avait d'être toujours content :

– Un autre se serait rompu le genou, tout net, moi je serai quitte pour boiter un peu le long de la route. Et il se mit en marche bravement.

Il n'en voulait aucunement à son étoile ; toute sa mauvaise humeur se reportait sur le rousseau, qui était, selon lui, cause de son malheur.

Sans le rousseau il aurait dormi paisiblement, à cette heure, dans un bon lit.

Gare au rousseau !

De Montgeron à Paris la traite n'est pas longue, Fortune se répéta cela pour le moins une centaine de fois, mais sa jambe était lourde et le moindre faux pas lui arrachait un cri de douleur.

Il dépensa près de deux heures à gagner Villeneuve-Saint-Georges, et les deux lieues qui sont entre ce village et Maisons-Alfort lui semblèrent aussi longues que tout son voyage depuis la frontière espagnole.

L'aube se faisait quand il atteignit Charenton.

Ses instructions, nous nous en souvenons, étaient d'entrer à Paris par le village de Bercy.

Jusqu'alors il n'avait rencontré personne, sinon quelques rustres et quelques paysannes apportant des provisions pour le marché ; mais au moment où il mettait le pied sur le pont qui passe la Marne, il eut une vision bizarre qui lui fit froid sous l'aisselle.

Il vit au milieu du pont, dans la brume matinière, un homme habillé en compagnon maçon dont les vêtements étaient tout blancs de plâtre et qui portait une canne semblable à la sienne.

Jusque-là rien de trop surprenant.

Mais ce compagnon maçon boitait de la même jambe que lui, et il lui semblait que tous ses mouvements correspondaient aux siens propres.

La chose était si frappante que Fortune s'arrêta pour se frotter les yeux.

L'autre compagnon maçon s'arrêta en même temps.

– La mule du pape ! pensa notre cavalier, est-ce que je deviens fou ?

Et, pour en avoir le cœur net, il reprit sa marche :

– Holà, manant ! cria Fortune ; je sais bien que je n'ai plus ma galante tournure d'hier ; prétendrais-tu te moquer de mon embarras, sang de moi ?

Au son de cette voix, l'autre compagnon se retourna vivement.

Mais Fortune eut beau presser le pas et regarder de tous ses yeux, le crépuscule était encore trop faible et la figure du prétendu railleur restait invisible dans le brouillard.

Fortune ne put rien distinguer de ses traits ; seulement, il y a des inspirations soudaines et des pressentiments ; pour la première fois, l'idée vint à Fortune que ce compagnon maçon pourrait bien être son ennemi le rousseau.

Pourquoi cette idée lui venait, il n'aurait point su dire, car, dans leurs diverses rencontres, rien ne lui avait donné à penser que le rousseau fût boiteux.

Il l'avait toujours vu sur sa mule, excepté la dernière fois, à Saint-Jean-Pied-de-Port, et cette fois le rousseau, avait couru mieux qu'un lièvre.

Mais précisément, mieux qu'un lièvre aussi, le compagnon maçon se mit à courir pendant que Fortune se livra à ces réflexions.

Il boitait misérablement, mais il détalait à miracle et en un clin d'œil il disparut dans le brouillard.

Fortune invoqua la mule du pape, la corbleu, la sambleu, la têtebleu et quelques panerées de diables, car il était, pour le coup, mécontent de son étoile.

Ce qu'il avait pris pour un mirage était bel et bien un coquin en chair et en os dont la fuite confessait les méchants desseins.

Le plus dangereux de tous les espions, au dire de Michel Pacheco et de la Française elle-même !

Celle-ci, à la vérité, avait donné à entendre qu'on s'était débarrassé du rousseau, mais ces malfaiteurs ont la vie dure.

En reprenant sa marche cahin-caha, Fortune ne gardait pas l'ombre d'un doute : il était sûr que le rousseau marchait devant lui.

Pourquoi cependant ce déguisement pareil au sien ? et quel noir complot méditait l'abominable drôle ?

– Heureusement, se dit Fortune, que mes deux bras sont en bon état, si mes deux jambes sont dépareillées. Que je puisse mettre seulement la main au collet de cette canaille et je fais vœu de l'étrangler comme un poulet !

L'aube commençait à s'éclaircir quand il dépassa les dernières maisons de Charenton pour entrer dans cette avenue circulaire plantée d'arbres qui contourne Conflans, en suivant la courbe de la Seine.

À la hauteur de Conflans il réussit à prendre le pas de course.

Et sa vaillance devait être récompensée, car en interrogeant de l'œil la perspective de la route, il distingua une forme cahotante qui essayait de se cacher derrière la ligne des arbres.

La couleur blanchâtre de cette ombre dénonçait le compagnon maçon.

Tantôt devant elle, tantôt derrière elle, tantôt à droite, tantôt à gauche, une autre ombre que Fortune n'avait point encore remarquée courait, gambadait, tournait, longue et fauve comme un loup.

On sait que les bons chiens, mêmes rendus de fatigue, retrouvent un moment de fougueuse ardeur dès qu'ils peuvent chasser à vue.

Fortune se lança comme un furieux ; il ne sentait plus sa jambe et l'espace diminua à vue d'œil entre lui et son gibier qui semblait terriblement essoufflé.

Aux environs du château de Bercy dont le saut du loup bordait la route, Fortune avait gagné tant de terrain qu'il put entendre aboyer le grand chien de son ennemi.

Mais au-delà du saut du loup, celui-ci prit brusquement à droite un sentier menant à des taillis d'assez vaste étendue qui couvraient le terrain compris entre la Seine et le lieu dit la Grande-Pinte.

Fortune prit à son tour le sentier, gagna le bois et s'engagea à pleine course dans la première percée qui se présentait à lui, il alla longtemps ainsi, espérant tomber sur sa proie de minute en minute, et serrant sa canne qui ne devait point être, à l'occasion, une arme méprisable.

À vrai dire, il n'en destinait point le premier coup à rousseau, pauvre créature à laquelle suffirait un couple de bourrades, mais bien à ce grand diable de chien dont les dents pouvaient rétablir l'égalité de la partie.

La percée courait en zigzag à travers bois.

Fortune, qui ne ménageait point sa peine et galopait à perdre le souffle, pensait bien avoir gagné un terrain considérable ; cependant, quand il sortit du taillis pour entrer dans les champs cultivés qui entouraient le hameau de Reuilly, son regard, interrogeant l'horizon, ne vit partout que solitude.

Le soleil sortait d'une nuée rose derrière les bois de Vincennes ; quelques toits fumaient déjà, mais les laboureurs n'étaient pas encore au travail.

Sur la gauche, dans un brouillard épais, on apercevait le sommet des clochers de Paris et les remparts de la Bastille qui semblaient submergés par la brume jusqu'à la hauteur des créneaux.

À force de fouiller le lointain, Fortune distingua justement dans cette direction inattendue, un point noir et un point blanc qui se mouvaient dans les guérets : le compagnon maçon et son chien.

La mule du pape fut prise à témoin par Fortune, non sans une certaine amertume, car il y avait là pour lui déception cruelle : d'autant plus qu'il lui semblait désormais impossible d'arriver à la barrière Saint-Antoine avant le rousseau.

Mais il n'était pas homme à se déclarer vaincu sans tenter un dernier effort, et il repris sa course à fond de train.

Dès les premiers pas, une ombre d'espoir lui revint, car le point noir et le point blanc, au lieu de piquer directement vers la ville, firent un brusque détour sur la droite, comme si un obstacle invisible pour Fortune leur eût barré le chemin.

Aussitôt notre cavalier coupa au court, prenant pour point de repère le clocher carré de l'église Sainte-Marguerite, au quartier Saint-Bernard.

Il allait au hasard, soutenu par la bonne envie qu'il avait d'accomplir heureusement sa mission, mais aiguillonné surtout par cette fantaisie qui le tenait depuis son départ d'Alcala.

Il n'était pas méchant, notre cavalier Fortune, mais il prouvait un voluptueux frémissement à l'idée de rompre les cotes à ce coquin de rousseau.

Et vraiment, il avait une étoile ! Car, après avoir perdu de vue sa proie pendant plus d'une demi-heure, ayant gravi un petit mamelon auquel s'adossaient les jardins du presbytère de Sainte-Marguerite, il vit, par-dessus les innombrables villas ou folies qui séparaient le chemin de la Roquette du Chemin-Vert, le rousseau et son grand chien descendant tous deux vers la contrescarpe Saint-Antoine.

Le rousseau ne battait plus que d'une aile ; il semblait littéralement harassé de fatigue.

Fortune brandit sa canne et s'élança, criant en lui-même : Montjoie ! Saint-Denis !

Dix minutes après il était au beau milieu de ce paradis terrestre qui est maintenant un bien pauvre quartier, mais qui contenait alors toutes les luxueuses fantaisies de la noblesse et de la finance.

Quand Fortune arriva à l'angle formé par le Chemin-Vert et le chemin de la contrescarpe, il se trouva devant une grille désemparée qui donnait accès dans un vaste terrain tout planté de charmilles ; au détour de l'une de ces charmilles, il vit disparaître le train de derrière d'un grand chien.

– Tayaut ! fit-il en lui-même.

Et il bondit sous les charmilles.

Ce n'était pas immense et pourtant Fortune, pendant plus d'une demi-heure, courut comme un dératé de charmille en charmille.

Le labyrinthe était admirablement dessiné, les murailles de verdure avaient une épaisseur impénétrable, et deux hommes pouvaient en vérité se chercher en vain dans ce méandre pendant toute une journée.

Fortune ne sentait pas trop sa foulure, mais il était las comme un malheureux et l'appétit commençait à parler au fond de son estomac.

Quand Fortune avait faim, c'était pour tout de bon.

Ce matin, quoi qu'il pût calculer de favorable, son déjeuner ne se montrait à lui que dans le lointain.

Pour déjeuner, il fallait d'abord entrer dans Paris, gagner le quartier des Halles sans encombre et trouver le sieur Guillaume Badin, première basse de viole à l'Opéra.

Cela demandait du temps, mais en outre Fortune s'était mis en tête qu'avant d'entrer dans Paris il fallait massacrer le rousseau.

À ses yeux, la plus élémentaire prudence commandait cette exécution.

Passer la barrière en laissant derrière soi un espion si dangereux, c'était courir à la potence.

Aussi Fortune, malgré sa fatigue, malgré sa jambe malade, qui criait bien un peu, malgré son estomac qui commençait à hurler, poursuivait en conscience la chasse commencée.

Il tournait à perdre haleine dans cette cage d'écureuil, passant et repassant au même lieu et maudissant ces charmilles.

À chaque instant un bruit de feuilles, le frôlement d'une branche venaient émoustiller son ardeur : il y avait des moments où il n'était séparé de son ennemi que par la verte muraille.

Il s'élançait alors, cherchant un passage et savourant déjà la joie du premier coup de bâton lancé à toute volée sur le crâne de son persécuteur.

Mais il n'y avait point de passage.

Les allées tournaient, tournaient sans cesse, et, après une autre demi-heure dépensée à courir follement, Fortune se retrouva près de la grille.

Il tomba sur le gazon découragé, la sueur inondait son front et sa poitrine pantelait.

Il n'était pas là depuis la moitié d'une minute lorsqu'il entendit tout près de lui, de l'autre côté de la charmille, ce bruit d'espèce particulière que produisent les dents d'un chien acharné sur un os.

Il s'allongea, fourra sa tête dans le feuillage, et, parvenant à écarter les branches de droite et de gauche, il darda de l'autre côté son regard avide.

Voici ce qu'il vit :

D'abord le loyal museau d'un grand épagneul occupé à ronger un os.

À deux pas du chien un jeune homme en costume de compagnon maçon, couché sur l'herbe comme Fortune et qui, comme lui, haletant, essuyait d'une main la sueur de ses tempes et de l'autre approchait de ses lèvres le goulot d'une gourde au ventre rebondi.

Fortune se releva si brusquement qu'il laissa une poignée de cheveux dans le trou de la haie.

– Le coquin est à moi ! pensa-t-il en reprenant chasse avec une nouvelle vigueur, et j'espère bien qu'il n'aura pas le temps de tout boire !

VII

Où Fortune casse enfin sa canne sur la tête du rousseau

Cette fois, la chasse ne fut pas longue. Fortune, en effet, n'eut qu'à tourner l'extrémité de la charmille, qui s'arrêtait à une vingtaine de pas de la grille, pour se trouver dans une autre route, à l'entrée de laquelle le compagnon maçon et son chien prenaient leur repas.

À cet aspect inopiné le chien resta bien tranquille, mais l'homme bondit sur ses pieds et saisit sa canne de compagnon avec tous les signes de la frayeur et de la colère.

En même temps il s'écria :

- Pille, Fortune, pille ! pille !

Il paraît que l'épagneul se nommait aussi Fortune, car à l'appel de son maître il ne fit qu'un saut jusqu'à la gorge de notre cavalier.

Mais il faut bien se rendre compte de cette circonstance : si notre cavalier eût été un homme ordinaire, nous ne prendrions point tant de peine pour raconter ses aventures.

Fortune, j'entends l'homme et le chrétien, arrêta Fortune l'épagneul d'un coup de pied droit, lancé juste entre ses deux pattes de devant.

L'animal Fortune roula sur l'herbe en geignant et l'écume de sa gueule devint rouge.

Fortune le bipède fit tournoyer sa longue canne, et, sans autre explication préalable, il en allongea un formidable fendant qui eût broyé du premier coup la tête de son adversaire, si celui-ci n'eût été à la parade.

Certes, la bataille promettait d'être curieuse et bien disputée, car l'ancien rousseau, ce dangereux espion, sans posséder la robuste apparence de notre ami Fortune, n'était point un gaillard à dédaigner.

Sa taille un peu courte était parfaitement prise depuis qu'il n'avait plus sa bosse, et il maniait son bâton en expert.

Restait donc sa jambe boiteuse, mais sous ce rapport Fortune lui rendait la pareille.

Si d'un côté Fortune avait son étoile, de l'autre le rousseau était pourvu de son chien qui, revenu de son premier étourdissement, pouvait opérer une lutte vaillamment soutenue de part et d'autre.

Le combat, en effet, finit au moment même où il commençait, non point faute de combattants, mais faute d'armes, et Fortune, le chien, n'eut pas même le temps de reprendre ses sens pour venir au secours de son maître.

Ces deux longues et belles cannes de compagnons qui semblaient si propres à casser des bras et à fêler des crânes se brisèrent toutes les deux en pièces au premier choc.

Vous eussiez dit, en vérité, une plaisanterie préparée pour faire rire les spectateurs d'un théâtre.

Elles étaient creuses toutes les deux, ces cannes, et toutes les deux, en se rompant, laissèrent échapper une pluie de petits papiers.

Le chien malade aboya plaintivement, les deux hommes restèrent immobiles, plantés en face l'un de l'autre et se regardant avec des yeux arrondis par l'ébahissement.

Tous deux avaient à la main leurs tronçons de canne, longs comme des baguettes de tambour.

Quand ils se furent bien regardés, leurs yeux se reportèrent sur le gazon, cherchant les papiers éparpillés.

Cela dura longtemps, si longtemps que le chien, retrouvant ses instincts, se mit à ramper vers Fortune, son homonyme.

Fortune ne le voyait point.

– À bas ! Fortune ! ordonna l'ancien rousseau.

Puis, se tournant vers notre cavalier, il ajouta d'un ton doux et poli :

– Je changerai le nom de la bête si c'est votre bon plaisir, Monsieur...

– Monsieur, répondit Fortune sur le même ton, je vous en serai obligé, assurément.

– Faraud ! appela aussitôt l'ancien rousseau.

Le chien dressa les oreilles, puis il vint en faisant le gros dos comme un chat, se coucher aux pieds de son maître.

– Faraud est son vrai nom, reprit celui-ci, je lui avais donné le nom de Fortune par rancune, contre vous, après tout le mal que vous m'avez fait.

– La mule du pape ! s'écria notre cavalier, je vous ai fait du mal, moi ! Dites donc que vous me poursuivez depuis quatre cents lieues comme un remords, et qu'à l'heure où nous sommes vous m'empêchez encore d'entrer dans Paris !

– C'est-à-dire, répliqua l'ancien rousseau non sans retrouver quelques accents de colère, c'est-à-dire que vous me donnez la chasse depuis Alcala de Hénarès et qu'à l'heure présente vous me fermez la porte de la ville.

Les choses prenaient évidemment cette tournure paisible et lente qui précède une explication. La curiosité était éveillée des deux parts mais Fortune y joignait un autre sentiment.

– Mon camarade, dit-il, je soupçonne quelque malentendu entre nous, et depuis que vous ne portez plus cet emplâtre vert qui allait si mal avec votre perruque rousse, je vous trouve la figure de tout le monde. M'est-il permis de vous demander où votre chien Faraud avait trouvé cet os qu'il mordait si bellement tout à l'heure ?

Le plus dangereux des espions se prit à rire.

– En somme, murmura-t-il, vous avez l'air d'un joyeux compagnon, et votre question signifie, je suppose, que vous n'avez point déjeuné ce matin ?

– Juste, mon camarade ! s'écria Fortune. Auriez-vous donc par hasard un bon cœur ?

– Et quelques provisions, ajouta-t-il, car j'ai commencé ma fournée à minuit à cause de vous, et mon souper d'hier au soir est sous la semelle de mes bottes.

L'ancien rousseau fit un pas en arrière, démasquant ainsi un chanteau de pain et une éclanche de mouton froide qui était à demi cachée derrière son bissac, tout blanc de plâtre.

Les yeux de Fortune brillèrent, et désormais son mortel ennemi se montra à lui sous un tout autre aspect.

– Pourquoi, diable, aviez-vous pris ce déguisement ? demanda notre cavalier en s'asseyant sur l'herbe, à proximité de l'éclanche.

– À cause de vous, parbleu ! répondit l'autre, qui coupa une bonne tranche de viande et la posa sur un morceau de pain. Je savais que vous m'aurez pris ma femme.

– Votre femme ! répéta Fortune, qui faillit, dans son étonnement, avaler de travers la première bouchée. Je veux mourir si je connais votre femme ! Après cela, se reprit-il en souriant avec une certaine complaisance, j'en connais tant et tant ! S'il vous plaît ?

L'ancien rousseau lui tendit sa gourde fraternellement.

– Prenez garde de vous étrangler, dit-il. Ma famille est bien connue dans la rue du Petit-Hurleur, et je suis le septième fils de maître Camus, le mercier. Mon vrai nom est Vincent Camus ; mais je me suis mésallié, malheureusement, et vous savez où cela mène ! Au théâtre de la foire Saint-Laurent on m'appelle La Pistole.

Ceci fut prononcé d'un ton modeste et orgueilleux à la fois. Fortune, qui avait bu une énorme lampée, s'écria :

– La Pistole ! la mule du pape ! le célèbre La Pistole ! sang de moi ! Je serais bien au regret si je vous avais cassé la tête... La Pistole, mon ami, je puis vous jurer sur mon salut que je ne connais ni d'Ève ni d'Adam Mme La Pistole.

Le fils du mercier Camus reprit sa gourde et dit avec un accent de reproche :

– Alors, pourquoi étiez-vous toujours sur ses talons au pont du Hénarès, au logis de ce vieux scélérat Michel Pacheco ?...

– Il vous a aussi volé quelque chose ? interrompit Fortune.

– À Tudela, poursuivit La Pistole, à Siguenza et dans l'hôtellerie de Saint-Jean-Pied-de-Port ?

Fortune le regarda la bouche pleine ; il songeait à la Française.

– Est-ce que ce serait ?... murmura-t-il avec une stupéfaction profonde.

– Juste ! fit La Pistole. Ma femme est Zerline, la chambrière de la sœur d'Apollon.

Fortune lui saisit les deux mains.

– Et qui est la sœur d'Apollon ? demanda-t-il.

– Ah ! ah ! fit La Pistole, prenant un ton de réserve, une muse probablement. Buvez et mangez, mon camarade ; je ne m'occupe point des choses qui sont au-dessus de moi.

Fortune n'avait pas besoin qu'on lui recommandât de manger et de boire ; il s'en acquittait en conscience.

Si Son Éminence le cardinal Alberoni et si Son Altesse Royale le duc d'Orléans, régent de France, avaient su ce qui se passait dans un coin de l'ancienne folie du banqueroutier Basfroid de Montmaur, le premier eût été bien inquiet, le second bien joyeux.

Les petits papiers restaient, en effet, tranquillement là où le vent les avait mis.

Tous les secrets de la politique espagnole jonchaient l'herbe à trente pas d'une grille ouverte.

Il y avait ici la vie d'une douzaine de grands seigneurs et de plusieurs milliers de gentilshommes avec la liberté de toute la lignée illégitime de Louis XIV.

Les deux cannes, en se brisant, avaient jeté au vent deux exemplaires complets de la conspiration de Cellamare.

Et Fortune mangeait sans oublier de boire, et La Pistole bavardait. Ni l'un ni l'autre n'avaient encore songé à mettre les précieux papiers en lieu sûr.

Ce fut La Pistole qui en eut la première idée, encore son idée se traduisit-elle sous une forme qui était la continuation de son erreur.

– Il faut ramasser tout cela, dit-il ; je pense que vous avez assez de confiance en moi pour me laisser vaquer à ce soin pendant que vous continuez votre repas.

– Certes, certes, répondit Fortune la bouche pleine.

La Pistole se mit aussitôt en besogne ; tout en cueillant les papiers un à un sur le gazon, il ajouta :

– Nous pourrions savoir ici le pour et le contre, puisque vous apportiez sans doute le message de M. de Goyon, tandis que je servais de facteur au cardinal.

– Mais du tout ! s'écria Fortune, c'est le contraire.

– Comment, le contraire ? M. de La Roche-Laury m'avait dit...

– Vous connaissez La Roche-Laury ?

– C'est lui qui m'avait raconté vos aventures avec ma femme.

Fortune éclata de rire.

– Et moi, s'écria-t-il, c'est le cardinal qui m'avait ordonné de vous éviter, comme la peste.

La Pistole apportait en ce moment dans ses deux mains l'ensemble des papiers ramassés.

– Ces grands politiques, dit Fortune, ont les mêmes proverbes que les porteurs d'eau : il ne faut pas mettre tous ses œufs dans le même panier, voilà la fin de l'histoire. J'avais ordre de vous éviter, c'est vrai, mais j'avais aussi défense de me battre contre vous.

– C'est comme moi, s'écria La Pistole.

– Eh bien ! mon camarade, conclut Fortune en s'essuyant la bouche d'un revers de main, car il n'avait pas de serviette, grand merci de votre déjeuner que je vous rendrai à l'occasion avec usure. Foi de soldats, je n'ai jamais échangé plus de dix bredouilles avec Mme La Pistole, et encore ce fut seulement à Saint-Jean-Pied-de-Port, une semaine pour le moins après notre départ de Madrid. Avant cela je ne l'avais jamais vue. Tâchons de retrouver, parmi ces dépêches, vous les vôtres, moi les miennes, et allons au lieu qui a été indiqué à chacun de nous.

La Pistole déposa devant lui les papiers dont il avait déjà examiné quelques-uns.

– Le partage ne sera pas très facile, dit-il, c'est écrit en chiffres. Avez-vous la clé, vous ?

– Pas seulement un loquet, mon camarade, répondit Fortune qui prit au hasard un des papiers, puis un autre.

– Tiens ! Tiens ! s'écria-t-il après avoir examiné le second, en voici deux qui sont absolument semblables, voyez plutôt !

– Deux gouttes d'eau ! répondit La Pistole après avoir examiné, et tenez ! En voici deux autres... et deux autres encore !

– Tout est deux par deux, dit Fortune, nous sommes évidemment des messagers envoyés en duplicata.

– Il y en a peut-être encore d'autres, ajouta La Pistole.

– En tout cas, le partage est bien aisé, reprit Fortune ; nous n'avons qu'à mettre ce qui vous appartient à droite, ce qui me revient à gauche, et à fourrer le tout dans nos poches.

La Pistole commença aussitôt ce travail de séparation.

– Moi, dit-il, j'ai encore une bonne course à faire, je vais porter cela au quartier des Halles.

– Rue des Bourdonnais ? s'écria Fortune.

– Juste ! chez le sieur Guillaume Badin.

– Première basse de viole à l'Opéra : c'est comme moi.

– Et on vous a promis cinq cents louis ? demanda La Pistole.

– Ni plus ni moins, répondit Fortune, plus cinq cents autres louis de récompense au cas où j'arriverais le premier.

– Eh bien, fit La Pistole, puisque vous n'êtes pas le galant de Zerline, mon abominable femme, monsieur Fortune, il n'y a plus entre nous que ces cinq cents derniers louis. Je vous propose d'aller ensemble chez ce Guillaume Badin, bras dessus, bras dessous.

– Et de couper en deux la récompense ? interrompit Fortune. Tope ! Jamais je n'aurais cru que nous ferions une paire d'amis.

Le partage des dépêches était terminé et chacun avait son compte, le contenu des deux cannes creuses se trouvant être exactement pareil.

Chacun d'eux mit son contingent dans sa poche, puis Fortune tendit la main à La Pistole, qui la serra cordialement.

Le grand épagneul remuait la queue. Malgré le coup de pied reçu, il semblait avoir une sympathie naturelle pour Fortune, dont il avait porté un instant le nom.

Tous deux pareillement habillés et plâtrés, nos anciens ennemis quittèrent en se tenant sous le bras ce lieu qui avait failli devenir un champ de bataille.

Ils tournèrent à droite en quittant le chemin, pour remonter la contrescarpe Saint-Antoine et entrer dans la ville par le Pont-aux-Choux.

Nos nouveaux amis longèrent sans encombre l'enclos du Temple, traversèrent le carré Saint-Martin, tournèrent la rue des Ours et descendirent aux Halles par la grande rue Saint-Denis.

Dans le quartier des Bourdonnais, tout le monde connaissait Guillaume Badin, première basse de viole à l'Opéra, et dès que Fortune eut prononcé son nom, dix passants lui indiquèrent le numéro 9 comme étant sa demeure.

Seulement ces passants avaient de singulières figures : les uns riaient, d'autres hochaient la tête, d'autres encore haussaient les épaules.

Ce fut bien autre chose encore quand nos deux compagnons eurent franchi la porte du numéro 9.

Il y avait dans la cour une véritable émeute, composée des gens de la maison, d'un bon nombre de dames de la Halle, de garçons ferronniers et drapiers auxquels se joignaient une demi-douzaine d'élèves droguistes de la halle des Lombards.

Nos deux amis n'eurent pas besoin d'interroger, car tout ce petit monde turbulent et bavard s'occupait de Guillaume Badin.

Et aussi de Thérèse Badin, sa fille, qui semblait partager avec lui un succès d'immense popularité.

– Tout ce qui reluit n'est pas or, disaient les dames de la Halle, le père et la fille n'iront pas loin sans se casser le cou.

– Il a gagné un demi-million sur les actions d'Amérique, répondaient quelques garçons droguistes qui avaient de l'eau plein la bouche.

Le voisinage du tripot Quincampoix affolait la rue des Lombards.

D'autres bavardaient :

– Il a acheté de Chizac-le-Riche le cabaret des Trois-Singes.

– L'a-t-il payé ? ripostait une harengère, alors qu'il nous paye !

– Il n'a pas le sou !

– Il a reperdu dix fois ce qu'il avait gagné !

– Et sa fille a un carrosse maintenant ; est-ce que c'est pas pitié !

– Et de grands laquais à livrée !

– Et des diamants et de la soie ! Et du velours !

– Puisqu'elle est danseuse, objecta un jeune apothicaire au cœur chevaleresque, et puisqu'elle est belle comme les amours !

Fortune et La Pistole choisirent ce moment pour percer les groupes.

– Je vous prie, mes bonnes gens, demanda Fortune avec politesse, ledit sieur Guillaume Badin ne demeure-il plus en ce logis ?

Cette question inopinée produisit un instant de silence.

Puis l'émeute entière fut prise d'une gaieté folle et entoura notre cavalier en poussant un vaste éclat de rire.

VIII

Où Fortune voit une belle fille dans un beau carrosse

Le défaut de Fortune n'était pas d'être endurant ; il mit le poing sur la hanche comme s'il avait eu son épée au côté.

Et les rires de redoubler, car en touchant sa hanche sa main avait soulevé un nuage de plâtre.

– Mon vieil ami chéri, dit une dame de la Halle, l'ancien logis de Guillaume Badin et de sa fille est au sixième étage. C'étaient de bonnes gens du temps qu'ils y habitaient.

– À présent, reprit la harengère, il n'y aurait pas seulement là-haut de quoi mettre les jupes de la Badin !

– On ne voit pas beaucoup de duchesses pour reluire comme elle ! ajouta l'apprenti pharmacien.

Puis une marchande de drap du cloître des Innocents :

– Elle a disparu pendant quelque chose comme un mois, et Dieu sait où elle a couru la prétentaine ; mais depuis quatre jours elle est revenue, et pas plus tard qu'hier je l'ai vue passer en carrosse dans la grande rue Saint-Honoré avec la fille suivante de Mme la duchesse du Maine, celle qu'ils appellent la sœur d'Apollon.

Fortune et La Pistole dressèrent l'oreille à ces derniers mots.

– Et pour quant à Badin le vieux fou, reprit la harengère, il a jeté son violon par-dessus les moulins. Il vit tantôt en grand seigneur, tantôt en mendiant, donnant à sa fille le samedi des parures de 50 000 livres, et cherchant un écu à emprunter le dimanche, il joue le pauvre innocent, c'était hier un habitué du cabaret des Trois-Singes, dans la rue des Cinq-Diamants, on dit qu'aujourd'hui il en est le maître, demain il frappera à la porte de l'hôpital. La semaine dernière, il avait acheté l'hôtel du traitant Basfroid de Montmaur au quartier de la Grange-Batelière ; il l'a eu trois jours, et puis il l'a revendu. Il couche tantôt dans un palais, tantôt dans le trou qu'il a loué à Chizac-le-Riche, au coin de la rue des Cinq-Diamants.

La Pistole pinça le bras de Fortune.

– Ce Chizac-le-Riche est un de mes oncles, murmura-t-il à son oreille. Je m'éveillerai quelque matin sur un tas d'or.

– Et s'il vous plaît, mes amis, demanda Fortune, aucun d'entre vous ne pourrait-il m'indiquer où je trouverais présentement le sieur Guillaume Badin ?

Un chœur formidable lui répondit :

– Nous irions avant vous si nous savions où le prendre !

– Il me doit trois écus de poisson frais, ajouta la harengère.

– À moi trois pistoles de beurre, œufs et légumes, clama la fruitière.

– À moi son dernier pourpoint de rencontre ! grinça la marchande des piliers.

– À moi ceci ! à moi cela !

Le pauvre Guillaume Badin devait à tout le monde, même aux garçons ferronniers et aux apprentis droguistes.

– Comme quoi, poursuivit la harengère qui était la voix la plus éloquente de l'attroupement, nous sommes venus ici faire tapage et chanter pouilles à cette fin que les oreilles lui tintent à son cabaret des Trois-Singes ou ailleurs, car il s'est répandu, sur le midi, le bruit qu'il avait gagné plus d'un million tournois ce matin.

– C'est un joli denier, dit Fortune froidement, tandis que La Pistole passait sa langue gourmande sur ses lèvres, mais cela ne nous dit point où le trouver.

– Est-ce qu'il vous doit aussi quelque chose, compagnons ? s'écria-t-on de toutes parts.

La Pistole mit la main au jabot et répondit d'un air important :

– Une bagatelle : trois mille pistoles.

En ce moment un grand tumulte se fit vers la porte de la rue, et cinquante voix crièrent à la fois :

– La Badin ! Thérèse Badin ! La voici qui arrive dans son carrosse doré, l'effrontée !

Les rangs s'ouvrirent aussitôt et une magnifique voiture à baldaquin, dont la forme ressemblait assez à celle des véhicules employés de nos jours pour les pompes funèbres, pénétra dans la cour entre les deux haies formées par la cohue.

Il y avait deux femmes dans le carrosse, et on le pouvait voir de la tête aux pieds par les deux énormes portières qui, selon la coutume du temps, laissaient la voiture presque entièrement ouverte.

Une de ces femmes avait un voile épais, l'autre montrait son visage souriant et jeune dont la beauté heureuse s'épanouissait avec une sorte d'insolence.

C'était une créature splendide ; son front avait des rayons, et Fortune à sa vue demeura comme ébloui.

– La mule du pape ! grommela-t-il, si mon étoile me faisait gagner un quine pareil à la loterie !

Thérèse Badin, car c'était elle, promena sur la foule son regard étonné, mais serein.

La foule la regardait aussi avec ses cent paires d'yeux qui, menaçaient et insultaient.

Si quelqu'un eût proféré la moindre injure ou risqué la plus petite invective, c'eût été aussitôt, n'en doutez point, un concert d'outrages, car, pour tous ceux qui étaient là, cette femme était trop belle et sa naissance ne lui donnait point le droit d'être si brillante.

Mais la première injure ne fut point prononcée.

Il y avait vis-à-vis de cette fille si prodigieusement belle je ne sais quel sentiment qui n'était certes point du respect, mais qui valait le respect et qui comprimait jusqu'aux murmures.

Arrivé au milieu de la cour, le cocher fut obligé d'arrêter ses chevaux, parce qu'une muraille humaine était entre lui et la porte du fond qui menait à l'escalier de l'ancien logis habité par Guillaume Badin et sa fille.

Thérèse mit sur l'appui de la portière sa main chargée de bagues qui tenait un radieux éventail.

– Mes bonnes gens, dit-elle, je vous prie de me faire place, sans quoi il me faudrait descendre dans la boue.

Le son de cette voix était harmonieux et grave.

Fortune se sentit tressaillir de la tête aux pieds.

La foule ne répondit point et resta immobile.

– Par la corbleu ! gronda Fortune, n'allons-nous point mettre à la raison ces manants ?

– Mon camarade, répondit La Pistole, vous ferez ce qu'il vous plaira, mais je ne me mêlerai point de tout ceci.

Il avait son chien Faraud entre les jambes et attendait prudemment l'événement.

La belle Badin se leva, mit son torse gracieux hors du carrosse et regarda sans émotion aucune l'obstacle qui barrait le passage à ses chevaux.

Ce mouvement mit en lumière une garniture d'émeraudes qui descendait de son cou en suivant les revers de son corsage blanc et en garnissait les basques de bout en bout.

– En voilà pour trois ou quatre milliers de louis peut-être, ma poulette, dit la harengère qui était à la tête des chevaux, et votre brave homme de père ne me doit que cinq écus.

Il y eut dans la foule un sourd grondement.

Thérèse Badin se rassit plus souriante que jamais et souleva les émeraudes de sa basquine pour prendre dans la poche de sa jupe un petit carnet émail et or.

Un vrai bijou de carnet.

– Venez çà, la bonne mère, dit-elle en s'adressant à la marchande de poisson.

Celle-ci obéit. Elle avait un pied de rouge sur la joue.

– Je devine, lui dit Thérèse, que tous ces gens-là ont quelque chose à réclamer de moi.

– Vous devinez bien, répliqua la marchande. Nous avons fait le compte tout à l'heure, il y a dans la cour des créanciers pour sept cents écus.

Thérèse prit dans son carnet deux bons de caisse de mille livres et un de cinq cents.

– Bonne mère, poursuivit-elle, je vous reconnais bien, j'ai été chez vous plus d'une fois acheter un couple de harengs de quatre sous.

La marchande eut un bon gros rire qui fendit sa large bouche jusqu'aux oreilles.

– Et vous étiez mignonne, dites donc ! répliqua-t-elle, avec votre petit bonnet sur l'œil et votre petit panier au coude !

– Voilà 2 500 livres, poursuivit Thérèse, voulez-vous bien vous charger de faire le partage !

– Et puis je vous rendrai le reste ? demanda l'harengère.

– Du tout point ! Avec le reste vous boirez à la santé de Guillaume Badin, mon père, qui, Dieu merci, va devenir un homme d'importance.

Il n'y a rien de tendre au monde comme la foule. La foule avait les larmes aux yeux.

Les femmes crièrent vivat ! Les hommes agitèrent leur chapeaux, et si la maison ne croula point sous ce vacarme c'est qu'elle était encore solide, malgré son apparente décrépitude.

Le mur vivant qui défendait la porte du fond s'ouvrit, et le carrosse avança, puis se retourna.

La fille à Badin descendit la première et offrit la main à la dame voilée qui la suivit dans le noir vestibule. C'était un escalier étroit et raide qui était au bout de cette allée.

Thérèse Badin, monta la première et la dame voilée la suivit.

– En vérité, dit cette dernière en relevant avec soin ses jupes pour qu'elles n'eussent point à souffrir des rouillures de l'escalier, vous ne parleriez pas mieux à la multitude, ma mignonne, si vous étiez née princesse.

Thérèse répondit tout bonnement :

– Ma chère demoiselle, le hasard se trompe quelquefois. On l'avait chargé de porter nos berceaux dans un palais, il a mis le mien dans une mansarde, le vôtre je ne sais où, mais nous rétablirons tout cela.

La compagne de Thérèse eut peut-être un sourire moqueur, mais cela était sans danger derrière son voile dans cet escalier si sombre.

– Dieu que c'est haut ! soupira-t-elle.

– J'ai habité là cinq ans, dit Thérèse.

Et, en vérité, la belle fille avait ce ton de pitié que les vainqueurs dans la bataille de la vie prennent pour parler de leurs humbles commencements.

– Mignonne, dit sa compagne qui s'arrêta au haut de troisième volée, laissez-moi souffler un peu, je vous prie.

Elle ajouta après avoir repris haleine :

– Avez-vous étudié ce pas que vous devez danser à Sceaux pour notre fête du Serment ?

Au lieu de répondre, Thérèse murmura :

– Vous êtes jeune et jolie, il n'y a point en France de poète plus habile et mieux inspiré que vous ; je connais plus d'un gentilhomme qui ne croirait point se mésallier en donnant sa main à la sœur d'Apollon.

– Pourquoi me dites-vous cela, mignonne ? demanda la dame voilée dont l'accent trahissait une toute petite nuance de dédain.

– Parce que je vous aime véritablement, chère muse ! repartit Thérèse. Il n'y a pas tant de différence que vous croyez entre la fille d'un pauvre gentilhomme, domestique d'une princesse en disgrâce, même quand elle sait composer des divertissements rimés à miracle, et la fille d'une basse de viole de l'Opéra, danseuse de son métier.

– Je n'ai rien dit... commença la muse.

– Vous avez beaucoup pensé, interrompit Thérèse ; vous croyez me faire grand honneur en montant dans mon carrosse ; vous êtes très bonne, mais très orgueilleuse, et le bon gentilhomme dont je parlais tout à l'heure vous semble un pis aller méprisable : vous mirez un grand seigneur ! Mais les princes ont la réputation d'être ingrats ; d'ailleurs, notre princesse galope sur une route qui peut mener à la Bastille. Chère demoiselle, les fables de La Fontaine sont écrites en bien beaux vers aussi et contiennent plusieurs moralités qui peuvent s'appliquer à cette affaire : entre autres l'histoire de ce chien-poète qui eut le tort de lâcher la proie pour l'ombre.

– Mignonne, dit la muse, avec un sourire contraint ; on est bien mal ici pour causer.

Thérèse se retourna et lui prit les deux mains, qu'elle serra dans les siennes.

– Delaunay, dit-elle, je sais bien que vous êtes au-dessus de moi par la naissance et aussi par l'esprit ; mais celles qui égarent leur propre vie donnent parfois de bons conseils à autrui. Si mes paroles vous portent à réfléchir pendant qu'il en est temps encore, je n'aurai point regret de vous avoir un peu blessée.

Ayant ainsi parlé, elle se reprit à monter lestement la quatrième volée.

Il paraît que la sœur d'Apollon, la muse, celle enfin que nous avons rencontrée tant de fois sous le nom de la Française dans notre voyage entre Madrid et Saint-Jean-Pied-de-Port, était Mlle Delaunay, dame de la duchesse du Maine, poète charmant et plus charmant prosateur qui nous a laissé sur la petite cour de Sceaux et sur la petite conspiration de Cellamare cent pages de mémoires que l'on peut appeler un chef-d'œuvre.

– Mon pas est étudié, reprit Thérèse en grimpant l'escalier raide, et je suis toute prête à le danser devant nos conjurés de la forêt. On dit, Mademoiselle, que les vers de notre divertissement sont par délices.

Delaunay ne répondit point.

– Allons, reprit encore Thérèse, vous me gardez rancune, et il faudra que je vous demande pardon pour avoir poussé si loin la familiarité.

– Chère folle, murmura la muse, ne sommes-nous point des sœurs ? Vous êtes aussi avant que moi dans la confiance de Mme la duchesse, et pendant que je négociais à Madrid, vous serviez nos intérêts en Bretagne.

– C'est vrai, murmura Thérèse gaiement, je suis aussi, moi, un ambassadeur ! Et ne pensez-vous point que mon ambassade a mieux réussi que la vôtre, chère demoiselle ? Les loups de la forêt de Bretagne sont enfermés là-haut dans mon ancienne cage, tandis que je ne vois point venir encore ceux que vous avez pris au piège dans la forêt espagnole.

– Ils sont en bas, répondit la muse, je les ai reconnus tous les deux au milieu de la foule.

– Bah ! s'écria Thérèse, M. le duc, ce rayon de soleil ! était parmi toutes ces poissardes et tous ces garçons apothicaires !

Elles s'arrêtaient sur le carré du sixième étage.

La muse laissa échapper cette fois un geste de violent dépit.

– Au nom du ciel, ne vous fâchez pas, dit Thérèse affectueusement. L'histoire me fut contée par Mme du Maine elle-même, et je suis curieuse de voir par mes yeux cette ressemblance qui a pu tromper, ne fût-ce qu'un instant, la personne la plus clairvoyante que je connaisse.

Il y avait au centre du carré une porte de piètre apparence, sur l'unique battant de laquelle on pouvait lire encore, tracé à la craie blanche, le nom de Guillaume Badin.

Thérèse gratta doucement à cette porte et l'on put entendre à l'intérieur de la chambre, jusque-là silencieuse, plusieurs talons de bottes éperonnées qui sonnaient sur le carreau.

On n'ouvrait point, cependant.

Thérèse dit tout bas en approchant ses lèvres de la serrure :

– Nantes sera plus grand que Paris.

Le battant tourna aussitôt sur ses gonds, montrant au-devant du seuil trois gentilshommes qui tenaient l'épée à la main.

IX

Où Fortune est introduit dans un repaire de conspirateurs

C'était une chambre d'aspect misérable où il y avait pour tout meuble un vieux lit sans rideaux et quelques chaises, dont la plupart étaient boiteuses.

Au pied du lit, une basse de viole s'appuyait contre le mur avec son archet passé dans l'unique corde qui ne fût point cassée.

Un peu plus loin, une porte basse donnait accès dans une sorte de soupente, où l'on voyait une petite couchette protégée par les lambeaux de serge jaune.

Les trois gentilshommes saluèrent les deux dames galamment et remirent avec promptitude leur épée au fourreau.

- Ces précautions nous ont été recommandées, et l'un d'eux, qui était un grand jeune homme coiffé de cheveux blonds bouclés. Nous obéissons à la consigne.

- On ne saurait prendre trop de précautions, monsieur le marquis, répondit la belle Thérèse.

Elle ajouta en se tournant vers sa compagne :

- Voulez-vous me permettre de vous présenter trois chasseurs, les plus vaillants parmi ceux qui sont entrés avec nous dans la forêt de Bretagne !

Mlle Delaunay s'inclina et Thérèse poursuivit :

- M. le marquis de Pontcallec, M. le marquis de Sourdéac, M. le chevalier de Goulaine.

Les trois gentilshommes bretons firent de nouveau la révérence, et Mlle Delaunay souleva son voile pour répondre gracieusement à leurs saluts.

Le marquis de Pontcallec, cadet de la maison de Malestroit, possédait des biens immenses dans le pays de Vannes.

On l'appelait en Bretagne le marquis d'Opulence.

Il devait, à quelque temps de là, revenir à Nantes et y porter sa tête sur l'échafaud pour donner un dénouement sanglant à une ridicule histoire.

Le marquis de Sourdéac était aîné de la maison de Rieux.

Pontcallec fit un pas vers Mlle Delaunay et demanda :

– Avons-nous, en ce moment, l'honneur de parler à la princesse elle-même ?

La Muse sourit et rougit.

– Breton que vous êtes ! murmura Thérèse dont le rire argentin éclata. La princesse dans cette mansarde !

La Muse s'empressa d'ajouter :

– Croyez, Messieurs, que, s'il l'avait fallu, pour voir de fidèles amis, Son Altesse Royale n'aurait point reculé devant un danger ni devant une fatigue ; mais à quoi bon, puisque M. le régent n'a pas encore élevé de barrières sur la route de Sceaux ? Vous viendrez à Sceaux ; je ne suis qu'une messagère bien humble chargée de vous apporter l'invitation de Son Altesse Royale.

Les trois Bretons se confondirent aussitôt en excuses, et le marquis de Pontcallec reprit en s'adressant à Thérèse :

– Il ne vous sied point, Madame, de railler la province de Bretagne où vous avez laissé de si chers souvenirs. Votre passage chez nous a été une marche triomphale et parmi les chevaliers de la Mouche-à-Miel, il n'en est pas un seul qui ne risquât sa vie pour avoir le droit de porter vos couleurs.

– Écoutez cela, chère Muse, dit Thérèse. Pendant trois semaines j'ai entendu de pareilles choses du matin au soir. On croit qu'Amadis de Gaule est mort, et c'est bien possible, mais il a laissé une nombreuse postérité qui s'est établie dans notre loyale Bretagne. Ces messieurs sont galants à faire frémir.

Elle tendit sa main à Pontcallec qui la baisa en rougissant.

– Pour votre permission, chère demoiselle, reprit Thérèse, je vais inviter messieurs vos amis à s'asseoir, afin qu'ils nous rendent compte de l'état de la province et que nous ayons de bonnes nouvelles à rapporter ce soir chez Son Altesse Royale.

Un geste gracieux de la sœur d'Apollon indiqua les sièges.

C'était bien. Seulement, il y eut quelque confusion, parce que le chevalier de Goulaine tomba sur une chaise infirme, tandis que le marquis de Sourdéac confiait son séant à un siège estropié.

Thérèse éprouva avec soin celui qu'elle offrit à sa compagne et s'en alla prendre place sur le pied du grabat.

– Nous vous écoutons, Messieurs, dit Mlle Delaunay.

Pontcallec reprit :

– Nous ne pouvions souhaiter de plus charmantes messagères pour porter nos paroles à Son Altesse Royale. Les pays de Vannes, Auray, Hennebon, Quimperlé et Concarneau sont entrés franchement dans la forêt avec du Couédic ; nous avons Redon, Montfort et Fougères par M. de Montlouis ; tout le Nantais suit Talhouet de Bonamour qui nous appartient, et la Ruche envoie ses Abeilles jusqu'à Saint-Brieuc et Saint-Malo. M. le comte de Rohan-Polduc, de son côté, répond de deux mille gentilshommes en basse Bretagne. La poire est mûre, nous sommes venus parce qu'il était temps de venir.

– Et que dit-on de M. le régent, là-bas ? demanda Thérèse.

– Ce qu'on dit du diable, répondit brusquement Sourdéac.

Le chevalier de Goulaine ajouta :

– On va jusqu'à parler d'un complot infâme. Le mot poison a été prononcé, courant de château en château, poison pour le cœur, poison pour le corps de notre bien-aimé jeune roi.

Les épaules de la belle Thérèse eurent un imperceptible mouvement, mais Delaunay s'empressa de répondre, en levant les yeux au ciel :

– Dieu seul peut savoir quelles pensées infernales habitent l'esprit de Philippe d'Orléans !

Les visages de nos trois gentilshommes s'assombrirent.

– À vos épées, Messieurs ! commanda tout bas Delaunay, prêtant l'oreille à un bruit qui venait de l'escalier.

Les Bretons dégainèrent. Sans cette mise en scène, les conspirateurs n'iraient pas.

– Qui est là ? demanda Thérèse.

La voix de Fortune répondit sur le palier :

– N'est-ce point ici le logis du sieur Guillaume Badin, première basse de viole à l'Opéra ?

Sur un signe de la Muse, Thérèse demanda encore :

– Que lui voulez-vous et combien êtes-vous ?

– Nous sommes deux, répondit Fortune, et nous apportons les gaules qu'on nous a dit de couper dans la forêt.

La sœur d'Apollon se tourna vers les trois gentilshommes et leur dit d'un ton confidentiel :

– Tenez-vous à l'écart, Messieurs, je vous prie : il y a dans tous les complots politiques des chefs et des soldats : ceux qui vont entrer ici ne sont point de votre qualité, mais ils apportent des messages de la plus haute importance.

Ils reculèrent jusqu'à l'autre bout de la chambre, heureux de la ligne qu'on traçait entre eux et les conjurés vulgaires.

Ils virent entrer avec un certain désappointement deux compagnons maçons qui n'avaient ni couteaux ni pistolets à leurs ceintures.

Ceux-ci se présentèrent de fort bon air, et Thérèse s'écria, en regardant le plus grand des deux, qui était notre ami Fortune :

– Mais c'est frappant ! Mais c'est miraculeux !

Elle prit la main de la Muse et ajouta :

– Chère demoiselle, je comprends votre erreur. Ce doit être son jumeau, je n'ai jamais vu de ressemblance pareille !

– Ma toute belle, dit la Muse sèchement, laissons cela ou nous nous fâcherons.

Elle salua de la main Fortune et La Pistole, qui se tenaient debout devant la porte.

Les regards de Fortune allaient de Thérèse à Delaunay et disaient hardiment son admiration.

Thérèse murmura encore, mais pour elle-même, cette fois :

– Je crois, Dieu me pardonne, qu'il est encore plus beau que M. le duc !

Fortune commença ainsi :

– C'est là le côté fâcheux de notre mission : pour ma part, il me peine de me présenter ainsi vêtu devant ces dames...

« Vous m'avez vu l'épée au côté, vous, s'interrompit-il, ma charmante vision d'Espagne, mais voici une adorable personne qui ne pourra jamais me regarder sans rire.

Thérèse rougit ; les sourcils de la Muse s'étaient froncé légèrement.

Sourdéac dit à Goulaine, au fond de la chambre :

– Pour un croquant, il s'exprime avec bien de l'audace !

– À Paris, fit observer le blond marquis de Pontcallec, il ne faut jamais juger les gens sur la mine.

La sœur d'Apollon demanda, inquiète qu'elle était déjà, car elle avait cherché vainement entre les mains des nouveaux arrivants les cannes qui étaient pour elle le signe de leur mission accomplie :

– Messieurs, vous serait-il arrivé mésaventure ! Les autres messagers ont été arrêtés en chemin, et nous n'avions plus d'espoir qu'en vous.

– La mule du pape ! Belle dame, répondit Fortune, quand on emploie un gaillard tel que moi, il y a folie de le traiter comme une marionnette de six blancs qu'on fait mouvoir avec des ficelles ! J'en dis autant pour mon camarade La Pistole, ne fut-ce que par politesse. Vous avez failli tout perdre en nous animant l'un contre l'autre, et vrai Dieu ! quoique je ne méprise point sa femme Zerline qui est votre chambrière, Madame, je veux finir par le gibet si je me suis trouvé jamais assez au dépourvu pour chasser gibier de ce poil !

Il se redressa de toute sa hauteur et sembla prendre à témoin la belle Thérèse qui lui montrait toutes les perles de sa bouche en un bienveillant sourire.

La Pistole écoutait cela d'un air digne et rassis, retenant son chien Faraud entre ses jambes.

Les trois Bretons étaient tout oreilles et faisaient de grands efforts pour trouver là-dedans un sens politique.

– En deux mots, reprit Mlle Delaunay, apportez-vous ce que nous attendons ?

– Pour mon compte, belle dame, répliqua Fortune, dès que vous me voyez, vous pouvez dire avec confiance : le cavalier Fortune a réussi. Quand je ne réussis pas j'y laisse mes os, c'est convenu avec moi-même.

– Et cela vous est-il arrivé souvent, cavalier ? demanda tout bas la belle Thérèse.

Elle ajouta, parlant à la sœur d'Apollon :

– J'aurais donné dix louis pour voir l'air qu'il avait quand vous l'avez appelé M. le duc !

Sans se déconcerter le moins du monde, Fortune prit dans sa poche, à poignée, les papiers qu'il avait retirés de la canne.

La Muse s'écria en les voyant :

– Nous sommes sauvés !

Et Thérèse ajouta :

– Bravo ! cavalier, le roi vous devra sa couronne !

Les Bretons ouvraient des yeux énormes.

La Pistole, à son tour, exhiba les papiers qu'il avait dans sa poche, mais il venait trop tard et ne produisit aucun effet.

La Muse avait saisi ceux de Fortune, et, en vérité, sa main qui tremblait de joie serra la main du cavalier, comme elle l'avait déjà fait à Saint-Jean-Pied-de-Port.

– Messieurs, dit-elle en se tournant vers les gentilshommes bretons, nous avons ici les signatures de S. M. le roi d'Espagne apposées au bas de tous les traités, et il n'y a rien à craindre de la part de ce vaillant jeune homme, car toutes les pièces sont écrites en chiffres.

– Merci de la confiance ! murmura Fortune. Décidément cette sœur d'Apollon est une pimbêche, j'aime mieux l'autre.

Il reprit une chaise sans façon et vint s'asseoir auprès de Thérèse, en disant :

– Il y a loin d'ici la frontière d'Espagne, et je me suis foulé la jambe au service du roi. Vous permettez ?

– Oublieuses que nous sommes ! s'écria Thérèse, nous ne songions pas à vous offrir un siège.

Fortune reprit avec autorité :

– Tu peux t'asseoir, La Pistole.

Celui-ci avait trouvé une escabelle ; il s'accota contre la porte, et son chien Faraud s'accroupit devant lui.

Fortune reprit encore, en s'adressant à la Badin :

– Si vous vous mettiez à votre aise, belle dame, nous causerions, quoique ce diable de déguisement m'enlève les quatre-vingt-dix-neuf centièmes de l'assurance que j'ai d'ordinaire auprès des princesses.

La belle Thérèse ne se fit point prier, elle s'assit à son tour et, posant un doigt sur sa bouche, en désignant d'un regard malicieux sa compagne, elle demanda tout bas :

– Qu'avez-vous pensé, cavalier, quand elle vous a donné du Monsieur le duc ?

– Sang de moi ! répondit Fortune, j'ai cru qu'elle connaissait ma famille. J'ai mon étoile ; il m'arrivera quelque chose de semblable un jour ou l'autre.

– Savez-vous pour quel duc elle vous prenait ? demanda encore Thérèse.

– En vérité non, et cela m'est bien égal. Seulement, c'est heureux pour ce duc.

La Muse était en grande conférence avec les trois Bretons.

– Tout y est, disait-elle après avoir compulsé les pièces chiffrées à elle remises par Fortune ; avec cela nous allons avoir la moitié de la cour, car Son Éminence le cardinal Alberoni n'a marchandé personne : tout ce que chacun demandait est accordé.

En ce moment une voix qu'on n'avait pas encore entendue s'éleva du côté de la porte.

C'était La Pistole qui disait d'un ton modeste, mais ferme :

– Quoique mon intention ne soit pas d'occuper de moi la compagnie plus que de raison, je serais bien aise de savoir qui va me payer mon dû, et je demanderais, en outre, des nouvelles de ma femme.

Fortune, qui était en train de conter à la belle Thérèse l'histoire de la folie Basfroid de Montmaur et des deux cannes brisées, s'interrompit brusquement :

– Au fait, dit-il, ce pauvre garçon peut avoir ses ridicules, mais depuis que je le connais il a fait preuve d'un remarquable bon sens. Il y a mille pistoles pour lui, mille pistoles pour moi et mille pistoles de prime que nous sommes convenus de partager. En l'absence du sieur Guillaume Badin, première basse de viole à l'Opéra, et dont les voisins parlaient naguère en termes fort légers, je voudrais bien savoir qui va nous solder cette petite note de quinze cents louis.

X

Où Fortune remet La Pistole à sa place

Notre drame n'est pas la conspiration de la Cellamare : nous disons cela pour rassurer le lecteur.

Mais toutes les conspirations se ressemblent.

C'est un commerce où les promesses ne coûtent rien. Seulement, le quart d'heure de Rabelais amène parfois des mécomptes pénibles.

À la double déclaration faite par Fortune et La Pistole, nos gentilshommes bretons devinrent inquiets, comme s'il y avait eu danger d'être pris à caution pour un ami insolvable.

Au pays d'où ils venaient, les gens tirent généralement plus volontiers leur épée que leur bourse.

Mlle Delaunay, qui avait toutes les finesses et connaissait son monde sur le bout du doigt, ne leur laissa pas le temps de marquer trop naïvement un inutile et fâcheux mouvement de retraite.

– Voyez la différence ! dit-elle. À vous les places et les honneurs. Ceux-ci se contentent d'un peu d'argent.

Elle quitta les Bretons, rassurés par son sourire, et vint droit à Fortune.

– Cavalier, dit-elle, vous avez affaire à une bonne maison, et j'espère que vous attendrez bien jusqu'à demain.

– Dites non ! suggéra La Pistole par derrière. Il faut du comptant.

Fortune regarda les trois Bretons et repartit malicieusement :

– Ces trois respectables seigneurs ne peuvent-ils se cotiser pour vous tirer d'embarras, belle dame ! Nous sommes de simples mercenaires et, pour ma part, je ne puis attendre à demain, n'ayant pas même en poche ce qu'il faut pour payer mon souper et ma couchée.

La Pistole, rendu hargneux par ce contretemps, ajouta :

– Sans compter que la maison où est ma coquine de femme ne saurait être une bonne maison.

Cette belle Thérèse Badin écoutait tout cela d'un air riant, et le malaise général ne semblait point l'atteindre.

La sœur d'Apollon, qui voyait compromis le crédit de la conspiration et la dignité de la cour de Sceaux, tourna vers elle un regard sournois où il y avait deux nuances : de la prière et de la rancune.

Thérèse reprit dans sa poche ce bijou de carnet que nous avons admiré déjà.

– Laissez, Messieurs, je vous en supplie, dit-elle aux gentilshommes bretons, comme si elle eût feint de croire qu'ils allaient s'exécuter.

Et il y avait dans son accent une raillerie si mordante, que les trois braves seigneurs mirent la main au gousset en rougissant jusque derrière les oreilles.

Les sourcils de la Muse étaient froncés.

– Laissez, répéta Thérèse, personne ne doit m'enlever l'honneur et le plaisir de rendre un léger service à Mlle Delaunay, qui veut bien admettre à sa familiarité une fille de la petite bourgeoisie telle que moi. D'ailleurs, je suis en compte déjà avec S. A. R, madame la duchesse du Maine.

Elle ouvrit son carnet.

– Seulement, ajouta-t-elle, j'ai donné à ces braves gens des halles, dans la cour, toute ma menue monnaie ; et je n'ai plus ici que des coupons de cinquante mille livres.

Elle en avait, en vérité, elle en avait plusieurs qu'elle déplia complaisamment pour laisser voir la somme énoncée.

Les yeux de Fortune brillèrent, tandis que la physionomie de la sœur d'Apollon se rembrunissait de plus en plus.

Quant aux trois gentilshommes bretons, ils échangeaient des regards ébahis et Pontcallec, le « marquis d'Opulence », contemplait avec une sorte de stupeur ce carnet mignon qui renfermait le prix de deux ou trois de ses domaines.

– M'est avis, dit Fortune, que ces messieurs auront du moins de quoi faire le change...

– Ma foi de Dieu ! gronda Pontcallec, avant de partir on nous a conseillé de n'avoir jamais plus de cinq écus en poche, la ville de Paris étant pleine de voleurs.

– Attendez ! attendez ! s'écria Thérèse, voici justement un bon de quinze cents louis. Chère demoiselle, s'il vous plaît de payer votre dette, je me fais une joie de vous l'offrir.

– J'accepte jusqu'à demain, répondit Delaunay avec sécheresse.

Fortune reçut le bon qui était à vue sur la finance du roi.

Il l'examina fort attentivement avant de remercier.

La Muse avait tourné le dos et rejoignait déjà ses Bretons qui lui dirent tous trois ensemble :

– Cette jeune dame est donc plus riche qu'une reine !

Delaunay haussa les épaules imperceptiblement et murmura ces mots en guise de réponse :

– La rue Quincampoix... le carnaval des écus...

– Cavalier, disait cependant Thérèse, soulevant sa basquine garnie d'émeraudes pour remettre le fameux carnet dans sa poche, en sortant de la maison, à droite, vous trouverez la boutique du juif Éléazar. Il vous changera ce papier contre argent ou or, moyennant un bénéfice de quelques livres.

– Madame, répondit Fortune, qui baissa la voix jusqu'au murmure, un compagnon maçon n'oserait approcher de ses lèvres la main d'une divinité telle que vous. Ne vous plairait-il point savoir quelle tournure a le pauvre Fortune quand il porte ses habits de cavalier ?

Leurs regards se croisaient.

Celui de Thérèse était souriant et doux.

– C'est comme si je vous avais déjà vu, répondit-elle en se jouant ; je connais quelqu'un qui vous ressemble trait pour trait.

– Qui donc, à la fin ? demanda vivement Fortune. La peste ! Voilà bien des fois qu'on me parle de cela sans que j'aie pu savoir jamais le nom de ce gentilhomme.

– Il est jeune, il est beau, murmura Thérèse ; je ne sais pas s'il est aussi beau que vous.

Il se redressa et dit, croyant déjà avoir ville gagnée :

– Çà, ma déesse, où aurons-nous demain notre rendez-vous ?

– Chez moi, répondit Thérèse sans hésiter, je demeure en mon hôtel au coin du quai et de la rue des Saints-Pères. Je vous attendrai demain matin, à dix heures. Soyez exact.

– À moins d'être mort ou chargé de chaînes... commença Fortune.

Mais elle l'interrompit d'un geste gracieux et rejoignit le groupe formé par la Muse aux prises avec ses trois Bretons. Fortune resta un peu déconcerté par la brusquerie de ce congé.

– Allons, lui dit La Pistole, venez, les boutiques de Lombards ferment de bonne heure.

Mais tout vrai comédien a besoin du dernier mot pour faire sa sortie.

Fortune éleva la voix et dit à la sœur d'Apollon, qui affectait de ne plus le voir :

– Belle dame, je ne veux point attribuer votre méchante humeur à l'obligation où je vous ai mise d'acquitter votre dette ; je veux plutôt compléter ma mission en rapportant les propres paroles du vieil homme de Saint-Jean-Pied-de-Port que vous appeliez monseigneur. Tout à l'heure sur le palier, avant de frapper à cette porte, j'ai entendu messieurs vos amis dénombrer les ressources de la conspiration en Bretagne et, soit dit en passant, une autre oreille que la mienne aurait pu profiter du renseignement. Je vous conseille de parler moins haut à l'avenir. Voici le message verbal de monseigneur :

« Dans deux mois, cent vaisseaux de guerre espagnols peuvent croiser entre Brest et Lorient. »

Pontcallec, Sourdéac et Goulaine accueillirent cette annonce avec des transports de joie. L'armada, la féerique armada ! C'était le rêve de tous les conjurés bretons.

Fortune salua et sortit, précédé par La Pistole qui descendit l'escalier quatre à quatre.

La cour était vide, mais nos deux compagnons retrouvèrent à la porte de la rue une partie de l'attroupement occupé à regarder le brillant carrosse de la Badin.

À la vue de Fortune et La Pistole, l'attroupement se dispersa pour se reformer aussitôt qu'ils eurent tourné l'angle de la maison...

– C'est lui ! dit la poissarde, qui mit la main au-devant de ses yeux pour mieux regarder Fortune.

– Et n'a-t-on pas dit, demanda la graine d'apothicaire, qu'il s'était blessé en lâchant la corde à nœuds qui pendait jusque dans les fossés de la Bastille ?

– Voyez ! s'écrièrent dix voix, voyez comme il boite !

– L'autre boite aussi, risqua un garçon ferronnier.

– C'est son domestique, répliqua la harengère ; si le maître s'est blessé, le valet a bien pu faire de même.

Nos deux compagnons entraient en ce moment dans la boutique du juif Éléazar.

– Les pauvres maçons n'ont pas souvent affaire chez le Lombard, fit observer la regrattière des Innocents.

– C'est lui, parbleu ! conclut-on de toutes parts ; il n'y a que lui pour être si joli que cela !

– Pour en revenir à Thérèse Badin, reprit la harengère, elle peut bien payer ses dettes. Voilà ce qui court la rue Quincampoix : son père est maintenant le maître des Trois-Singes. Il lui donne tout. Elle a acheté son carrosse lundi ; elle a acheté, mardi, son hôtel de la rue des Saints-Pères, et, mercredi, elle a acheté un château je ne sais plus où. Ce vieux fou de Badin a une veine à faire trembler, et qui dure et qui dure ! Il joue du matin au soir sur les actions, et du soir au matin il joue aux cartes ou aux dés dans son tripot de la rue des Cinq-Diamants. Ce qu'il y a de triste c'est que Chizac-le-Riche perd à mesure que le vieux Badin gagne.

– Pas de danger pour celui-là ! s'écria l'apprenti droguiste ; il pourrait perdre un million par jour pendant trois mois !

– Oh ! je ne le plains pas, répliqua la bonne femme. Chizac est un grigou, tandis que la Thérèse fera danser les écus du vieux Badin.

Fortune et La Pistole sortaient de l'échoppe du juif, et l'attention générale se reporta aussitôt sur eux.

– Ah çà ! dit notre cavalier, que diable nous veulent ces braves gens ?

La Pistole protégeait à deux mains la poche où étaient les louis d'or que le juif venait de compter en échange du bon de caisse.

– Ils vous reluquent, murmura-t-il, comme si vous étiez un

miracle !

- Venez là, la mère, appela Fortune en faisant un signe de la main à la poissarde.

Tout le monde s'approcha d'un commun mouvement.

La Pistole noua ses mains sur sa poche.

- Voulez-vous m'indiquer, demanda Fortune, la meilleure maison de friperie qui soit aux environs ?

On se regarda dans la foule en clignant de l'œil.

- Oui bien, mon compagnon, répondit gaillardement la harengère, on n'est pas assez bête pour donner du monseigneur à quelqu'un qui veut se faire passer pour un gâcheur de plâtre. Allez rue des Deux-Boules, ici près, chez maître Mathieu, qui fait la livrée de monsieur le régent, et vous sortirez de sa boutique luisant comme un marguillier !

Fortune remercia, puis fit un geste. La foule s'écarta respectueusement.

- Mon garçon, dit Fortune en regardant de haut La Pistolet qui marchait auprès de lui ; quand on a ma tournure, il ne sert à rien de se déguiser. Les gens voient tout de suite à qui ils ont affaire.

- Ce que je voudrais, répondit La Pistole, c'est un bon coffre pour mettre mes quinze mille livres.

Ils entrèrent chez maître Mathieu, où La Pistole choisit un costume de ville un peu fané, mais très voyant et prétentieux, qui ne lui allait point. Fortune, au contraire, trouva du premier coup bague à son doigt et fut en un clin d'œil transfiguré de pied en cap.

Les garçons de maître Mathieu commençaient à le lorgner comme tout à l'heure la foule et se disaient entre eux :

- Serait-ce lui, par hasard ?

- Mes enfants, demanda Fortune, en jetant un large pourboire sur la table, y a-t-il à votre boutique une autre issue par où puisse sortir décemment un gentilhomme que poursuit la curiosité publique ?

On lui indiqua une petite porte donnant sur le quai, et il prit ce chemin, toujours suivi par La Pistole.

- Çà, mon brave, lui dit-il, une fois sur le pavé, nous allons nous séparer ici. Que vas-tu faire dans Paris ?

– Maintenant que je suis riche, répondit La Pistole, je vais tâcher de m'enrichir. Vous voyez par l'exemple de ce Guillaume Badin ce qu'on peut gagner dans la rue Quincampoix. Je veux faire crever ma femme de dépit par le spectacle de mon opulence.

– Tu aimes toujours ta femme, mon pauvre garçon, dit Fortune, et cela fait pitié de voir une créature si faible ! Moi je rends grâce à Dieu de m'avoir créé robuste de cœur autant que de corps ; les femmes sont des degrés sur lesquels un galant homme pose le pied, et puis voilà tout.

Ils allaient tous deux dans une de ces petites rues dont l'inextricable réseau contournait le Grand-Châtelet, en remontant vers l'Hôtel de Ville.

– Il y a une drôle de chose, dit La Pistole : le chien n'avait pas envie de vous mordre, là-bas, dans les terrains ; il ne vous a pas gardé rancune pour votre coup de pied, qui était pourtant bien détaché ; et moi, qui vous ai donné à déjeuner de bon cœur. Je croyais que nous allions être une paire de camarades.

Fortune se retourna pour le toiser de la tête aux pieds. Son regard était plein de bonté.

– Tu as trop d'argent pour être mon valet, répliqua-t-il ; et pour être le compagnon de mes aventures tu n'as pas assez galante mine.

La Pistole regarda son pourpoint et ses chausses.

– Je suis pour le moins aussi bien couvert que vous, murmura-t-il.

Fortune eut un sourire de pitié.

– Tu sens la foire Saint-Laurent d'une demi-lieue, mon bon, dit-il. Au théâtre, les femmes sont charmantes et les hommes ridicules, on ne peut pas changer cela. Moi, au contraire, je suis né grand seigneur, et cela saute aux yeux. Cette Delaunay est une friponne assez avenante, as-tu vu les agaceries qu'elle me faisait ? As-tu vu les œillades que me lançait la fille à Badin, qui est belle comme les amours ? Je n'aurais qu'à me baisser pour les prendre, et qui sait si je ne produirai pas le même effet sur Mme la duchesse elle-même ?

– De ce côté-là, interrompit La Pistole, quand même vous le voudriez, je ne pourrais pas vous suivre. Les conspirations ne sont bonnes à suivre que dans le premier moment ; celle-là finira mal comme les autres, et d'ailleurs je ne voudrais pas être du même parti que ma femme. Ah ! plus souvent !

– Donc, conclut Fortune, souhaitons-nous mutuellement bonne chance, mon ami. Où vas-tu de ce pas ?

– Je vais, répondit La Pistole, montrer mes écus à mon oncle Chizac-le-Riche. Cela lui donnera, j'en suis sûr, l'idée de me faire du bien.

– Moi, dit Fortune, avant d'aller au château de Sceaux qui sera bientôt ma demeure, je veux rôder un peu autour de l'Arsenal où Mme du Maine m'offrira sans doute un logis provisoire.

Ils se donnèrent la main, arrêtés qu'ils étaient au-delà de l'Hôtel de Ville, dans la rue de la Tixeranderie.

Un carrosse passa au trot de quatre beaux chevaux.

Un bouquet lancé par la portière décrivit une courbe adroitement calculée et vint frapper Fortune en pleine poitrine.

La Pistole ouvrit de grands yeux.

– Laquelle est-ce ? demanda froidement Fortune pendant que le carrosse s'éloignait.

Il songeait à Thérèse et à Delaunay.

– Ce n'est ni l'une ni l'autre, répondit La Pistole, c'est une jolie petite dame qui a au cou des perles pour plus de vingt mille livres.

Fortune ramassa le bouquet et l'examina d'un œil exercé. Il y avait un billet entre les fleurs ; Fortune l'ouvrit et vit ces mots tracés au crayon :

« *Cher imprudent, cachez-vous, au nom du ciel !* »

– Autre imbroglio ! s'écria Fortune ; mon étoile travaille comme une folle !

La Pistole et lui s'étaient rangés pour faire place au carrosse. Tout à coup, Faraud gronda sourdement.

Sur le pas d'une porte, à quelques toises d'eux, il y avait un homme qui portait un costume de deuil et qui ramenait les plis de son manteau sur son visage singulièrement pâle.

En voyant le regard que cet homme attachait sur Fortune, La

Pistole ne put retenir une exclamation de frayeur.

À ce cri, l'homme recula et referma bruyamment la porte. La Pistole aurait juré qu'il avait distingué un couteau dans sa main, demi-cachée sous le revers sombre de son pourpoint.

XI

Où Fortune obtient des renseignements sur M. le duc de Richelieu

La Pistole n'était pas un chevalier. La vue de cet homme pâle, habillé de deuil des pieds à la tête, cachant un couteau et jetant sur Fortune un regard tout flamboyant de haine, augmenta manifestement le désir qu'il avait de rejoindre son oncle Chizac-le-Riche.

Il prit congé avec une certaine précipitation, mais son dernier mot fut celui-ci :

– J'ai du regret à vous quitter, mon compagnon, et j'aurais du plaisir à vous revoir. Promettez-moi seulement que vous vous abstiendrez de faire la cour à ma scélérate de femme.

Fortune lui rit au nez et s'écria :

– La mule du pape ! pour qui me prends-tu, mon garçon ? Ta femme a-t-elle quatre chevaux pour traîner dans un carrosse ? Non pas, non pas, je ne lui ferai point la cour, et si cela peut te garder en joie, je te le jure sur mon étoile !

La Pistole remercia et descendit aussitôt à grands pas vers l'Hôtel de Ville.

Il fut obligé de siffler par trois fois le chien Faraud qui semblait s'éloigner de Fortune avec répugnance.

Celui-ci pensait :

– Il n'y a pas jusqu'aux bêtes qui ne s'attachent à moi ! On dirait que j'ai un talisman dans ma poche !

La journée n'était pas encore très avancée ; quand Fortune arriva à l'extrémité de la grande rue Saint-Antoine, deux heures sonnaient au clocher de Saint-Gervais.

Il tenait à la main avec ostentation le bouquet lancé par la portière du beau carrosse et le flairait chaque fois qu'une femme passait à droite ou à gauche.

Presque toutes les femmes qui le croisaient ainsi, avaient pour lui des regards d'admiration, d'effroi ou de surprise.

C'étaient pour la plupart des grisettes ou des petites bourgeoises, et Fortune leur accordait juste l'attention qu'elles méritaient.

Il y avait sur le pavé une grande quantité de curieux, parmi lesquels on distinguait nombre de bourgeois et même quelques gentilshommes ; presque toutes les fenêtres des maisons, surtout du côté droit, étaient ouvertes et allaient se garnissant de têtes curieuses.

Les femmes s'y montraient en grande majorité.

Il pensa tout bonnement qu'il y avait là quelque fête préparée ou que quelque grand personnage allait descendre la rue Saint-Antoine, venant du château de Vincennes ou de la Bastille.

Ce qui fortifia en lui cette opinion, c'est qu'un assez bon nombre de carrosses de la plus noble espèce étaient rangés aux environs de la forteresse et qu'à chaque instant il en arrivait d'autres.

Les balcons eux-mêmes se décoraient ; on y tendait des tapisseries, on y suspendait des guirlandes de fleurs.

Il se disait :

– La dame au bouquet est peut-être là-bas avec les autres. Je n'ai pas promis sous serment d'être fidèle à cette piquante Delaunay et à ma belle Thérèse. Je dois bien garder à la joue quelque trace de plâtre, et vive Dieu ! quand je sortirai des mains du frater, je veux que toutes les dames de Paris me suivent comme si j'étais le berger de leur aimable troupeau !

Un énorme plat à barbe en cuivre se balançait à la porte d'une échoppe au coin de la rue Saint-Paul.

Il entra chez le barbier le cœur gonflé d'espérance et de joie.

– Çà, dit-il en jetant son chapeau à la tête du maître de la maison qui l'attrapa au vol respectueusement, que tout le monde s'occupe de ma personne ! Mes minutes valent de l'or, il faut que, dans un quart d'heure, je sois le gentilhomme le plus galamment coiffé de la cour.

– Monseigneur, répondit le frater, vous ne pouvez pas mieux tomber. C'est moi qui vais tous les matins à la Bastille trousser M. le duc de Richelieu.

Le drôle mentait effrontément ; il n'avait jamais vu le duc de Richelieu, sans cela il eût parlé autrement au cavalier Fortune.

– Oui-da ? fit celui-ci, j'ai ouï causer dans mes voyages de ce duc de Richelieu qui est, à ce qu'on prétend, la coqueluche de Paris. Est-il plus beau fils que moi à ton idée ?

Il se tenait campé devant le frater, tendant le jarret, élargissant sa poitrine et souriant d'un air victorieux.

– Cela dépend des goûts, répondit-il en manœuvrant sa savonnette ; je vous comparerais volontiers à Adonis, monseigneur, mais le duc de Richelieu... Ah ! le duc de Richelieu !

Il y avait une telle emphase dans ce nom ainsi prononcé que Fortune, jaloux, fronça le sourcil.

– Appelle ton monde, ordonna-t-il, tout ton monde ! J'ai l'habitude d'avoir plusieurs valets autour de moi.

La figure du barbier s'allongea.

– Monseigneur, répliqua-t-il, depuis le château de la Bastille jusqu'au Palais-Royal, vous ne trouverez pas de maison mieux montée que la mienne, mais nous vivons dans un singulier temps. Mon premier valet m'a quitté parce qu'il est devenu millionnaire en deux semaines à l'Épée-de-Bois ; mon second valet a été nommé barbier en chef d'un roi sauvage qui habite les bords du Mississippi, et il a emmené avec lui ma femme, mon troisième valet s'est pendu à la grille d'un hôtel de la rue Quincampoix. Les quatre autres sont présentement en ville, à l'hôtel de Carnavalet, à l'hôtel de Lamoignon, à l'hôtel de Sully et à l'Arsenal, accommodant les dames pour la promenade de M. le duc.

– Quel duc ? demanda Fortune, dont la joue était blanche de savon.

– Comment ! quel duc ? répondit le frater. Il n'y a qu'un duc, M. le duc de Richelieu.

– Tu m'as dit tout à l'heure qu'il était à la Bastille.

Au lieu de répondre, le barbier passa lestement son rasoir sur la peau de sa main et murmura :

– On voit que monseigneur vient de la province.

– Je viens d'Espagne, dit Fortune, et quand on s'occupe des affaires de l'État, vos petits cancans parisiens ne font pas plus d'effet à l'oreille que des bourdonnements de mouches.

Le barbier lui prit le nez délicatement pour tendre la peau et assurer la manœuvre du rasoir.

– J'avais bien deviné, dit-il avec un grand sérieux, que monseigneur était pour le moins ambassadeur.

Fortune, qui n'osait ouvrir la bouche, fit un grave signe d'assentiment.

– Cela se voit, dit le frater, je connais, Dieu merci, mon monde, ayant l'honneur de soigner M. de Cadillac, M. de Brancas et M. de la Grange-Chancel, le poète qui m'a appris à faire des vers. Veuillez ne point bouger monseigneur, voici ma dernière chanson, elle est sur l'air des Pendus :

Lundi, j'achetai des actions,

Mardi, je gagnai des millions,

Mercredi, j'arrangeai mon ménage,

Jeudi, je pris un équipage,

Vendredi, je fus au bal,

Et samedi à l'hôpital !

Le barbier lâcha le nez de Fortune qui respira bruyamment.

– Je vois que tu n'aimes pas M. Law, dit-il.

Le barbier faisait mousser son eau de savon avec fureur.

– C'est lui qui m'a pris mon premier valet, répliqua-t-il, mon second valet, ma femme, mon troisième valet et mes économies ! Ah ! il y en a contre lui des chansons !... Tendez votre joue, je vous prie... Voici le pont-neuf de l'abbé Genest qui confesse Mme la duchesse du Maine :

Ce parpaillot, pour attirer

Tout l'argent de la France,

Songea d'abord à s'assurer

De notre confiance ;

Il fit son abjuration,

La faridondaine, la faridondon,

Mais le fourbe s'est converti, Biribi,

À la façon de Barbari, mon ami...

– La mule du pape ! gronda Fortune, complètement rasé, Mme la duchesse a là un bien agréable confesseur ! Mais, dis-moi, l'ami, voici la foule qui augmente dans la rue, comme si nous étions au jour de la Saint-Louis ; j'ai vu des fleurs et des tentures aux fenêtres : quelle fête va-t-on célébrer aujourd'hui ?

Le frater, qui passait le peigne dans la belle chevelure de Fortune, repartit :

– Je l'ai déjà dit à monseigneur, c'est la promenade de M. le duc.

– Le duc de Richelieu vient se promener jusqu'ici, prisonnier qu'il est à la Bastille !

– Non pas, s'il vous plaît, monseigneur ; mais tous les jours, à la même heure, M. le duc vient un instant prendre le frais au haut des tours, accompagné du sieur Launay, le gouverneur ; et, depuis deux semaines que cela dure, les dames de la cour et de la ville, qui sont folles de M. le duc, ont pris la coutume de venir se promener dans la rue Saint-Antoine afin de l'admirer et de lui envoyer leurs hommages.

– Ah çà ! ah çà ! s'écria Fortune humilié dans ses prétentions à l'égard du beau sexe, vas-tu me faire croire que ce duc de Richelieu ait dans Paris assez d'amoureuses pour remplir la grande rue Saint-Antoine !

– Monseigneur veut-il être parfumé au benjoin ou à la tubéreuse ? demanda le barbier.

Puis il continua :

– On a compté dans l'après-midi d'hier quatre-vingt-un carrosses et cent soixante-neuf dames, dont trois princesses, treize duchesses, vingt-quatre marquises, je ne sais plus combien de comtesses et deux demoiselles de l'Opéra ! Les vicomtesses et les baronnes passent par-dessus le marché, et quant aux bourgeoises, vous avez dû les voir à leurs fenêtres.

– Mais c'est prodigieux ! dit Fortune avec abattement, je donnerais un de mes châteaux pour me rencontrer avec ce duc l'épée à la main !

Pendant que Fortune se faisait arranger le poil, l'aspect de la rue avait complètement changé.

C'était l'heure de la fête, il y avait une véritable émeute de carrosses.

De l'église Saint-Paul au coin de la rue des Tournelles, les carrosses étaient échelonnés, et comme on voulait voir, mais surtout se faire voir, le suprême bon ton était d'abandonner les coussins de l'intérieur pour s'asseoir en grande toilette aux lieu et place du cocher.

Cela faisait le plus bizarre effet du monde.

Le pavé de la rue était littéralement couvert de curieux, de badauds et de galants, car le culte de Richelieu n'excluait pas du tout les autres intrigues.

D'ordinaire on arrivait, on se montrait, les mouchoirs jouaient, les écharpes faisaient des signaux ; puis, quand l'astre avait disparu, on s'en retournait.

Mais aujourd'hui il y avait dans la fête une fièvre tout à fait inaccoutumée ; on causait bruyamment d'un carrosse à l'autre ; et le trouble grandissait jusqu'à ce point que quantité de belles dames, portant les noms les plus flamboyants de la monarchie, allaient et venaient de portière en portière, mettant pour la première fois leurs pieds immaculés dans la boue.

Une grande nouvelle courait, rendue vraisemblable par ce fait que M. le duc de Richelieu n'avait point paru aujourd'hui sur le rempart à l'heure accoutumée.

On avait pensé d'abord que M. le duc pouvait être malade et tous les cœurs s'étaient serrés sous l'étoffe éblouissante des corsages ; mais bientôt Mme de Sabran avait dit à Mlle de Nesle, qui l'avait répété à Mme de Polignac, que M. le duc s'était évadé à l'aide d'une corde à nœuds, déguisé en compagnon maçon.

C'était tout simplement absurde : les prisonniers de la catégorie à laquelle appartenait le duc de Richelieu ne s'évadent jamais.

Mais M. le duc de Richelieu avait amplement le droit de tenter une absurde équipée.

Les détails venaient à l'appui du fait principal : Mme la duchesse de Berry, fille de M. le régent, apprit à Mlle de Valois, sa sœur, que ce cher et malheureux jeune homme s'était blessé à la jambe en tombant.

Il boitait. Richelieu était boiteux ! C'était à renier la justice céleste.

Mlle de Charolais, fille du prince de Condé, menaçait de son joli poing l'injuste Providence ; la maréchale de Villars, la belle Goëzbriant, Mme de Parabère, Mlle Émilie et la Souris, deux filles de l'Opéra que Philippe d'Orléans avait mises à la mode, s'agitaient, discutaient, se mêlaient en un désordre épileptique.

Ce jour-là, les distinctions de castes furent effacées, les haines tombèrent et le pavé fangeux de la rue Saint-Antoine reçut les larmes des duchesses avec celles des bourgeoises.

Tout à coup un grand cri s'éleva, un cri aigu et harmonieux à la fois, un cri de passion, un cri d'ivresse.

Il sortait à la fois de cent bouches, roses naturellement ou par l'effet de la peinture.

– Le voilà, c'est bien lui ! et voyez comme il boite ! le voilà ! le voilà ! le voilà !

C'était notre ami le cavalier Fortune qui sortait de chez son barbier.

XII

Où Fortune est accosté par l'homme vêtu de deuil

Il paraît qu'il y avait entre le cavalier Fortune et ce précieux duc de Richelieu une ressemblance extraordinaire, car la plupart des dames qui encombraient la rue Saint-Antoine connaissaient très particulièrement le duc de Richelieu, et pourtant l'erreur fut unanime.

Il n'y eut pas l'ombre d'une hésitation ou d'un doute ; la même émotion prit à la fois tout ce charmant essaim, nous dirions presque la même ferveur religieuse, tant il se mêla de discrétion et de réserve à l'entraînement général.

Une fois le premier cri poussé, on se tut, et il n'y eut pas une seule imprudente pour se précipiter au-devant du dieu sortant incognito de l'échoppe du frater.

Seulement, toutes les prunelles brûlèrent ; la foule resplendissante ondoyait comme l'or des moissons sous la brise, des mouchoirs s'agitaient et un long murmure tombait des balcons.

Comme si un mot d'ordre eût couru d'un bout à l'autre de la file des carrosses, les princesses, les duchesses, les marquises et les comtesses gardèrent leurs rangs, se demandant avec anxiété ce qu'allait faire l'imprudent captif.

Imprudent au point de se montrer à visage découvert si près de la maison qui le réclamait.

Quel était son dessein ? Pourquoi s'était-il porté à cette extrémité dangereuse ? Dans quel but bravait-il ainsi l'autorité de M. le régent ?

Mme la duchesse de Berry et Mlle de Valois, Mme de Parabère et Mme de Sabran, Émilie et la Souris, toutes celles qui approchaient Philippe d'Orléans désespéraient désormais de fléchir sa colère.

Mme de Tencin, qui passait pour être l'Égérie de l'abbé Dubois, secouait sa jolie tête et disait : Il est perdu !

Mlle de Charolais, remuante comme tous les Condé, songeait peut-être à élever des barricades.

Fortune fit quelques pas en boitant, et il y eut cent voix de femmes adorables pour dire :

– Comme il boite bien ! ainsi boiterait l'Amour s'il se cassait la jambe !

Fortune était de méchante humeur, les cent voix ajoutèrent :

– Il a l'air triste, il est inquiet peut-être ; gardons-nous d'ajouter à son embarras !

La méchante humeur de Fortune venait de ce fait qu'il savait enfin à quoi s'en tenir sur le démesuré succès qui accueillait son entrée à Paris.

Il traversa la rue d'un pas imposant, le poing sur la hanche et répondant aux œillades par un regard sévère.

Vous eussiez vu toutes ces pauvres grandes dames pâlir et frissonner, tant la colère du dieu leur glaçait le cœur.

Au milieu du trouble commun, il se commit des erreurs assez drôles : la maréchale se réfugia dans le carrosse de louage qui avait amené Mlle Émilie, et la Souris s'assit par mégarde entre deux princesses du sang.

Fortune continuait son chemin et longeait les maisons situées à droite, en montant la grande rue Saint-Antoine, il suivait tout simplement son premier dessein qui était de rôder autour de l'Arsenal pour voir quelle aventure lui enverrait son étoile.

Tout en marchant, ses souvenirs lui revenaient et irritaient son dépit ; il devinait pourquoi la sœur d'Apollon, cette piquante Delaunay, lui envoyait tant de sourires, là-bas, sur la route de Madrid à Saint-Jean-Pied-de-Port ; il comprenait la malicieuse moue de Thérèse Badin : toutes les joyeuses énigmes de son voyage se résumaient en ce mot amer : un quiproquo ! Et il n'y avait pas jusqu'au bouquet de la dame mystérieuse qui ne lui semblât maintenant une dérision et un outrage.

Ces fleurs, il les tenait encore à la main, et nous devons dire que l'essaim des belles dames y avait donné beaucoup d'attention, comme à tout ce qui touchait leur héros.

On s'était demandé avec anxiété, dans les carrosses, quelle était la favorisée dont monsieur le duc avait accepté ainsi le bouquet.

Quelle qu'elle fût, on l'enviait, et si elle avait été connue, les têtes chaudes de la confrérie, telle que Mlle de Polignac et Mme de Nesle, qui devaient, peu de temps après, acquérir urne gloire immortelle en allant sur le prés pour leur cher duc, auraient certes envoyé un cartel à la préférée.

Cependant Mlle de Charolais dit à Mlle de Valois :

- Ne trouvez-vous point, ma cousine, qu'il y a en lui quelque chose d'extraordinaire aujourd'hui ?

- Je le trouve beau comme un astre, répondit l'ingénue du Palais-Royal.

- Il paraît, dit la Renaud, une bourgeoise qui était à pied et qui ne connaissait pas de vue les princesses, il paraît que le cher cœur a eu bien raison de fausser compagnie au gouverneur de la Bastille. Il n'était que temps. Son traité avec l'Espagne est signé et il y allait pour lui de la tête.

- Ah ! grand dieu ! s'écria la Souris, si monsieur le régent faisait un coup comme celui-là, c'est moi qui le casserais aux gages !

Mais tenez ! tenez ! ajouta-t-elle, voyez donc ce que fait monsieur le duc.

Fortune arrivait à la hauteur de la rue Beautreillis. Son regard sournois avait passé en revue toute cette armée de ravissantes femmes qui n'étaient point là pour lui.

Dans l'univers entier il eût été difficile de réunir un pareil groupe de délicieux visages.

C'était le paradis de Mahomet en poudre et en papiers.

Fortune avait vu à travers un éblouissement toutes ces blondes, toutes ces brunes, ces yeux d'azur ou de jais, ces sourires prodigues de perles, ces bustes d'ivoire que la mode du temps laissait généreusement à découvert.

Fortune était jaloux comme un tigre, et dans sa colère il s'en prenait, sans le savoir, au malheureux bouquet que ses mains crispées déchiraient.

Les pauvres fleurs tombaient, semées une à une sur son passage.

La première qui toucha le pavé de la rue fût ramassée par une simple grisette, qui n'appréciait pas, peut-être, toute la valeur de ce trésor, mais les autres...

Ah ! les autres !

Il faudrait une plume étourdissante comme un pinceau de Salvator Rosa pour peindre cette bagarre de déesses.

Tandis que la maréchale jetait sa bourse à la grisette pour avoir la fleur, tous les carrosses se vidèrent de nouveau, et une meute de houris suivit Fortune à la trace pour se disputer les roses, les œillets, les jacinthes qui tombaient de ses doigts.

La moindre tige était l'objet d'une lutte acharnée, et jamais la boue populaire de la rue Saint-Antoine n'avait moucheté tant de satin, tant de dentelles ni tant de velours.

Il y eut des blessures, il y eut des meurtrissures, il y eu surtout des coiffures lamentablement démolies qui étaient pourtant des chefs-d'œuvre au point de vue architectural.

Comme autrefois, à cette même place, du temps de la Fronde, la maison de Turenne et la maison de Condé échangèrent de terribles horions.

Fortune ne se retournait même pas pour donner un regard à cette bataille éhontée, mais charmante, dont l'histoire n'offrirait peut-être pas un second exemple.

Fortune boudait.

Fortune avait des idées à la Néron, souhaitant que toute cette cohue d'anges, déchus ou non, n'eût qu'un seul dos pour le fouetter jusqu'au sang.

Au moment où il allait tourner l'angle de la rue du Petit-Musé pour gagner enfin l'Arsenal, une jeune fille, presque une enfant qui portait le costume des ouvrières, passa devant lui en courant et se faufila entre les carrosses pour atteindre l'autre côté de la rue Saint-Antoine.

Un cri s'étouffa dans la gorge de Fortune, qui s'arrêta court et suivit la jeune fille d'un regard ébahi.

Certes, celle-là n'était point ici pour M. le duc de Richelieu.

Elle allait sauvage et vive comme une biche, sans regarder ni à droite ni à gauche.

Elle n'avait même pas vu Fortune sur qui son aspect venait de produire un si singulier effet.

Il était dit qu'aujourd'hui les cent cinquante pèlerines venues pour adorer M. le duc auraient tous les étonnements.

Notre ami Fortune, en effet, qui achevait de détruire son bouquet dont chaque débris avait été ramassé comme une précieuse relique, sembla s'éveiller d'un sommeil, et bondit lestement sur les traces de la petite ouvrière.

Il franchit la ligne des carrosses au milieu d'un grand murmure, que suivit le silence de la stupeur.

Qu'allait-il faire ? Quelle mouche le piquait ?

Il entra tout uniment dans une étroite allée où la petite ouvrière venait de disparaître.

Ce résultat, si simple en apparence, arrêta le souffle dans toutes les poitrines.

Derrière lui, un homme vêtu de deuil des pieds à la tête et dont le pâle visage disparaissait presque sous les plis relevés de son manteau, entra aussi dans l'allée.

Il y eut alors un tumulte inexprimable. L'attroupement féminin, brillant, coquet, irisé de toutes les couleurs de l'arc-en-ciel, se massa incontinent devant l'allée où M. le duc avait disparu.

En cet endroit, toute la rue fut barrée, et mille jolis cris, succédant au silence, montèrent du pavé aux balcons, qui répondirent par de bruyantes clameurs :

- On le poursuit puisqu'il se sauve !

- La police est à ses trousses !

- Avez-vous vu cet homme noir ?

- Quel regard cauteleux !

- Quel physionomie cruelle !

- Il faut le secourir !

- Il faut le délivrer !

Ces deux derniers avis, qui pouvaient avoir quelque chose de séditieux, furent ouverts par une première présidente et par une abbesse.

Et certes, ils allaient réunir l'unanimité des suffrages lorsqu'un carrosse, descendant de la Bastille, et qui contenait une demi-douzaine de gentilshommes, demanda passage à l'émeute.

– Monsieur de Melun ! cria Mlle de Charolais.

– Cadillac ! appela Mlle de Sabran.

Mlle de Valois prononça le nom de Brancas.

Les amis du régent, ainsi interpellés, mirent pied à terre et apprirent en souriant la grande nouvelle du danger que courait M. de Richelieu évadé.

– Ma foi, belles dames, dit Brancas, c'est affaire à vous de puiser vos nouvelles dans de bons almanachs !

– Nous l'avons vu, ce qui s'appelle vu ! s'écria le chœur féminin.

– Je ne puis vous répondre qu'une chose, ajouta Brancas, c'est que Cadillac, Bezons, Melun et moi nous venons de dîner avec M. de Richelieu.

– À la Bastille ? clama le chœur.

– À la Bastille, où nous avons fêté de bon cœur la réconciliation de ce cher duc avec M. le régent.

Ces dames restaient encore incrédules.

– Le cher duc, dit Melun, doit être mis en liberté demain matin et conduit au château de Saint-Germain-en-Laye, où il pourra recevoir des visites.

On fit place. Brancas et ses compagnons passèrent ; mais les carrosses au lieu de se disperser, montèrent en procession jusqu'à la Bastille, où une députation nommée à la pluralité des suffrages et toute composée de noms historiques, demanda M. Launay, le gouverneur, pour se bien assurer que ce cher duc était en sûreté sous les verrous.

Pendant cela, Fortune, poursuivant sa petite ouvrière et poursuivi par l'homme vêtu de deuil, avait enfilé une allée sombre aboutissant à une série de passages à ciel ouvert qui formaient une sorte de petite ville intérieure.

Fortune, en sortant de l'allée, vit sa petite ouvrière qui s'engageait dans un passage tortueux, inclinant vers la rue des Tournelles.

Il la perdit de vue à plusieurs reprises, la retrouva un nombre égal de fois, et la vit entrer dans une maison à cinq étages qui semblait former la clôture de la cour, du côté de la Bastille.

Fortune n'hésita pas à entrer derrière elle ; il avait gagné du terrain. Comme il montait quatre à quatre la première volée de l'escalier, il put entendre, à deux étages au-dessus, le pas léger de celle qu'il poursuivait.

Il redoubla de vitesse.

Comme il arrivait au palier du quatrième étage, il entendit, au cinquième, une porte s'ouvrir et se refermer.

En trois bonds il eut franchi la dernière volée ; et, guidé par le bruit qu'il venait d'entendre, il frappa à la porte faisant face à l'escalier.

On ne répondit pas tout de suite.

– Muguette ! appela-t-il bien doucement.

Ce nom n'était pas prononcé qu'un bruit se fit derrière lui.

C'est à peine s'il eut le temps de se retourner et de reconnaître l'homme vêtu de deuil de la rue de la Tixeranderie.

Celui-ci, qui tenait un couteau à la main, lui en porta un coup violent dans la région du cœur, et Fortune tomba à la renverse.

L'homme vêtu de deuil dit :

– Tu allais faire une nouvelle victime, je l'ai sauvée. Je suis le frère de Mme Michelin !

Il descendit l'escalier sans se presser.

À ce moment, la porte s'ouvrit et une blonde tête de fillette se montra.

C'était presque une enfant.

Quand son regard tomba sur Fortune renversé, elle poussa un grand cri d'épouvante et se précipita sur lui en balbutiant :

– Raymond ! Raymond ? que vous a-t-on fait, mon cousin ?

Elle se rejeta en arrière, à la vue du sang qui rougissait la chemise de Fortune.

Celui-ci répondit, étourdi qu'il était par le coup et par la chute :

– La mule du pape ! on m'a assassiné, mais je ne suis pas encore mort. Embrasse-moi ma petite cousine Muguette.

XIII

Où Fortune raconte une histoire

C'était une chambre très petite et mansardée qui donnait sur les fossés de la Bastille.

Par la croisée on voyait le profil entier de la forteresse, dont les tours étagées se découpaient sur le ciel.

De l'intérieur de la chambre il semblait qu'en étendant la main on aurait pu toucher les remparts.

Il y avait une couchette bien blanche, trois chaises et une commode de chêne. Au fond du lit, on voyait un bénitier surmonté d'un crucifix que coiffait une branche de buis bénit. Au milieu se trouvait un métier à broder.

Mais ce que l'œil remarquait tout de suite en entrant c'était une large bergère, habillée de toile perse, dont les bras s'ouvraient tout à côté de la fenêtre.

Ce meuble formait un contraste complet avec tout ce qui l'entourait.

Au moment où nous passons le seuil du logis de Muguette, notre ami Fortune était couché sur le lit et livrait sa poitrine sanglante aux soins de la petite fille, qui était bien plus pâle que lui.

Notre ami Fortune ne se montrait point trop défait ; il causait, au contraire, et causait en soupant. Sa voix restait sonore et bien timbrée.

– Vois-tu, ma petite cousine, disait-il avec un accent de profonde conviction, il y a des gens qui ont une étoile, c'est clair comme le jour, et ceux qui le nient font preuve d'aveuglement. Toute la journée j'ai été pris pour un certain duc, dont les dames de Paris sont folles... Dis-moi, est-ce que tu connais M. de Richelieu, toi ?

– Je le vois tous les jours, répondit Muguette.

Fortune la regarda avec défiance et demanda encore :

– Trouve-tu que je lui ressemble ?

– Oh ! non, répliqua la fillette, c'est un duc et pair, tandis que toi, Raymond...

– Je ne suis qu'un pauvre diable, acheva Fortune d'un air piqué ; c'est pourtant comme cela que les petites filles voient le monde !

– Je ne trouve personne si beau que toi, Raymond, dit Muguette du ton que l'on prend pour calmer les enfants ombrageux ; mais enfin, il est bien sûr que tu ne ressembles pas à un duc et pair.

– Comment sont donc faits les ducs et pairs ? demanda Fortune.

– Je ne sais pas, repartit Muguette, et d'ailleurs tu vas te fatiguer si tu parles tant que cela. Quand on est blessé et que l'on parle trop, on a la fièvre. Tiens-toi tranquille et laisse-moi te panser.

Fortune attira sa tête blonde jusqu'à lui et mit sur son front un bon gros baiser.

– Je n'ai pas fini, dit-il, j'en étais à mon étoile. C'est encore pour ce haïssable duc que j'ai reçu mon coup de couteau. Un autre aurait été traversé de part en part et serait mort comme un chien, ici, sur le carré, de l'autre côté de la porte, sans avoir seulement le temps de te dire « Bonjour, Muguette » ; moi, il se trouve que j'ai acheté un pourpoint de rencontre et que, dans la poche gauche de ce pourpoint vendu à la friperie, son ancien maître avait oublié un diplôme de maître ès arts en excellent parchemin, plié huit fois sur lui-même. Le coup de couteau était bien donné, puisqu'il a traversé les huit doubles, mais il n'avait plus de force en arrivant à ma peau, et je n'ai qu'une égratignure.

Il s'interrompit et se mit à réfléchir.

– Attends donc que je me souvienne ! dit-il, c'est le frère... Je ne suis pas fâché de me rappeler ce détail pour lui rendre, à l'occasion, la monnaie de sa pièce, c'est le frère de Mme Michelin.

– Ah ! soupira Muguette, on dit qu'elle était bien belle et pieuse.

– Il y a donc une histoire ?

– Une triste histoire : elle est morte de chagrin parce que M. de Richelieu ne l'aimait plus.

– La mule du pape ! s'écria Fortune ; alors c'est bien cela. Je me demande à qui je dois payer ma dette, au frère ou au duc ? Je penche pour le duc.

– Il est si puissant ! murmura Muguette ; je t'en prie, mon cousin Raymond, ne parle pas tant.

– Vas-tu faire attention à cette égratignure ? s'écria Fortune. Corbac ! nous en avons vu bien d'autres... Là ! me voilà pansé ! et je déclare que je mangerais un morceau avec plaisir.

« Mais d'abord, reprit-il en s'interrompant, assieds-toi là, petite cousine, bien près de moi, plus près encore, que je te regarde jusque dans le fond de tes beaux yeux. Comme tu as grandi ! Comme tu as embelli ! Tu n'es plus une enfant, sais-tu ? Et je pardonne à ce maladroit qui m'a poignardé, car son intention était bonne en définitive ; il voulait empêcher le Richelieu, cet ogre qui dévore les femmes, d'arriver jusqu'à toi, et il avait raison. Si je le rencontre jamais, je l'inviterai à boire avec moi une bouteille de claret du meilleur de mon cœur.

Muguette avait passé derrière le lit et ouvert un placard. Elle revint portant un pâté à peine entamé, un flacon de vin et une assiette de beaux fruits.

– Tu mangeras le reste de Mme la maréchale, dit-elle en roulant la table jusqu'auprès de la couchette.

– La peste ! se récria Fortune, tu traites des maréchales, toi ?

Muguette, qui mettait son petit couvert, sourit et répondit :

– Il vient ici beaucoup de beau monde me voir.

Fortune aurait interrogé sans doute si le pâté de la maréchale ne se fût trouvé excellent.

Il était d'ailleurs blasé sur les grandes dames.

– Si j'étais chirurgien, dit-il la bouche pleine, je ne prendrais jamais souci de sonder une blessure. Je mettrais une tranche de pâté, j'entends du bon pâté comme celui-ci, devant le patient et je regarderais comment il besogne.

– Sois prudent, Raymond, recommanda Muguette en lui versant un doigt de vin.

– Toi, répliqua Fortune gaiement, ne sois pas économe. Remplis mon verre jusqu'au bord. Tu sauras que je m'appelle Fortune à présent et que tout me réussit à miracle. Mets-toi là, auprès de moi : tu ne me laisseras pas dîner tout seul, j'espère ? Nous en étions à la manière de juger si une plaie est maligne ou débonnaire : dans le premier cas, qui est le mien, il mangera comme un lion et ne s'en portera que mieux au bout d'une semaine.

Il tendit de nouveau son assiette déjà vidée.

– Si tu allais avoir la fièvre ? objecta la jeune fille.

– N'est-ce pas encore une aventure merveilleuse ? s'écria Fortune au lieu de répondre. Tomber du premier coup dans ce grand Paris, sur la seule créature humaine que j'eusse envie de retrouver ? Tu ne pensais guère à moi, n'est-ce pas, petite Muguette ?

– J'ai toujours pensé à toi, répondit celle-ci dont les grands yeux bleus mouillés souriaient, je penserai toujours à toi.

Fortune s'arrêta de manger pour la regarder.

C'était un visage rieur, mais où le moindre émoi mettait une expression de sensibilité exquise.

Il y avait de l'enfant chez Muguette par l'extrême mobilité de la physionomie et par la naïveté du regard ; sa taille, qui n'avait pas atteint son complet développement, était gracieuse, mais un peu grêle ; ses cheveux, d'un châtain très clair, se jouaient en boucles naturelles autour d'un front charmant.

Ses traits délicats brillaient de gaieté, de bonté, de finesse.

On pouvait rencontrer une femme plus belle, impossible d'admirer une fillette plus jolie.

Un nuage de rêverie passa sur l'insouciant rayon qui brillait dans le regard de Fortune.

Ceci était rare.

D'ordinaire, Fortune ne rêvait jamais.

– Voilà ! dit-il en repoussant son assiette. Quand on a beaucoup de joie, l'appétit s'en va, et c'est dommage. Moi aussi j'ai souvent pensé à toi, Muguette, mon cher ange : Tu es certainement la seule fille d'Ève, la seule jolie fille s'entend, qui ne m'ait point inspiré des idées d'amourette.

Les beaux yeux de Muguette se baissèrent.

– Toi et Aldée ! reprit Fortune, ma belle, ma noble Aldée ! Mlle de Bourbon d'Agost, s'il vous plaît ! La dernière goutte du sang des rois de Navarre.

Il s'interrompit brusquement et demanda :

– Pourquoi es-tu à Paris ?

– J'ai suivi Mme la comtesse et sa fille, répondit Muguette.

– Comment ont-elles quitté le Poitou ?

– On ne voulait plus les garder au manoir.

Fortune passa la main sur son front.

– Le manoir ! répéta-t-il. En toute ma vie, je n'ai eu que cinq ans de repos et de bonheur. Bah ! reprit-il, je m'ennuyais bien un peu dans ce pauvre paradis, et vogue la galère ; un cavalier tel que moi n'était pas fait pour regarder pousser les choux.

Muguette soupira.

– Elle est toujours bien belle ? demanda Fortune.

– Plus belle qu'autrefois, répondit Muguette, quoique son teint soit pâle comme le linon de sa guimpe. Je ne sais pas comment cela se fait, elle vit bien retirée, c'est à peine si elle sort pour se rendre aux offices de la paroisse Saint-Paul, et pourtant tout le monde la connaît : on parle de sa beauté dans le quartier et les jeunes gentilshommes s'occupent d'elle.

– La mule du pape ! s'écria Fortune, si elle pouvait trouver seulement un bon mari, quelque comte ou quelque duc, pour relever le plus noble sang de France !

Une nuance rosée avait monté aux joues de Muguette :

– Que Dieu t'entende, cousin Raymond ! dit-elle, mais les jeunes gentilshommes dont tu parles ne songent point au mariage. Pas plus tard qu'hier, à l'heure où les carrosses viennent dans la rue Saint-Antoine pour M. le duc, j'entendis prononcer son nom, et l'on disait : « À Paris, les deux soleils de beauté sont en ce moment la Bourbon et la Badin. »

– Corbac ! gronda Fortune, on disait cela !

Puis il ajouta en lui-même :

– Il faudra pourtant que je fasse une corne à mon mouchoir, car j'oublierais mon rendez-vous avec la belle Thérèse. Celle-là au moins ne me prend pas pour un duc !

– Je ne sais pas ce que c'est que la Badin, reprit Muguette ; toi, Raymond, le sais-tu ?

– J'ai ouï-dire, répliqua Fortune, que c'est un rude brin de commère. Plus tard, je te donnerai d'autres détails.

« Mais je veux mourir, reprit-il encore, si je me reconnais moi-même ! Ma cervelle est pleine d'idées langoureuses, comme si j'étais un troubadour. Tout mon passé me revient, tout, jusqu'aux souvenirs de ma première enfance. Le nom de l'endroit où j'étais quand je commençai à voir clair autour de moi, je ne l'ai jamais su ; on appelait ça le château, tout court, et mort de moi ! c'était un beau château, avec de hautes tapisseries où les Troyens se battaient contre les Grecs, des dorures noircies par le temps, des armoiries peintes au-dessus des larges cheminées, des remparts, des douves... Mais voilà le curieux : je pouvais avoir trois ou quatre ans, et il y avait un petit grand seigneur, plus jeune que moi d'une année, qui était joli comme un amour et méchant plus qu'un singe ; quand il commettait quelque fredaine, et cela arrivait bien des fois chaque jour, on me fouettait en son lieu et place. Je crois que j'étais au château pour cela.

– Pauvre Raymond ! murmura Muguette.

– Mais j'avais déjà mon étoile, continua Fortune ; un jour, que j'avais été fustigé d'importance, la colère me prit et j'emmenai mon petit grand seigneur dans un coin où je le battis si généreusement qu'on craignit pour sa vie. Je fus chassé du coup et recueilli au manoir par Mme la comtesse de Bourbon qui venait de mettre au monde notre chère Aldée. La comtesse était très belle en ce temps-là et n'avait pas encore l'air d'une morte. A-t-elle changé depuis le temps ?

– Non, répondit Muguette, elle a toujours l'air d'une morte.

– Voilà tout pour le château, reprit Fortune, sauf une chose assez drôle que je trouve au fin fond de mes souvenirs : le père du petit grand seigneur ne me regardait point devant le monde, mais quand il me rencontrait seul dans les corridors il m'embrassait. Je le vois assez vaguement, ce brave gentilhomme ; il était très imposant, très fier, et il me semble qu'il avait peur de sa femme. Mme la comtesse de Bourbon, elle était un peu comme le père du petit grand seigneur, elle m'embrassait volontiers en cachette. Je devais avoir sept ans à peu près quand on songea à me faire étudier pour être prêtre. Je suis un bon chrétien, la mule du pape ! mais mon étoile ne me destinait pas à la prêtrise : on l'a bien vu plus tard, en la ville de Rome, comme je te le raconterai une autre fois.

« Je revins au manoir quand j'avais douze ans. Aldée était une enfant plus jolie que les anges et Mme la comtesse vivait déjà dans sa chaise longue, sans bouger, sans parler, avec une figure plus morne que la pierre.

« Je n'étais pas domestique, je n'étais pas paysan, mais je n'étais pas maître et, au fait, je ne saurais dire ce que j'étais.

« On me laissait chasser, pêcher, courir la prétentaine et devenir sauvage un peu plus qu'un jeune loup.

« Une fois, vers ma quinzième année, c'était après souper ; à l'heure où chacun se met au lit, on vint dire à la cuisine où je fourbissais mes armes de chasse qu'une troupe de bohèmes avait planté ses tentes dans la forêt.

« Je n'avais jamais vu de bohèmes, et j'ai toujours aimé tout voir.

« Me voilà parti seul, par une nuit sans lune, mon couteau au côté et mon fusil sur l'épaule.

« La forêt était loin et j'avais négligé de demander en quel lieu les vagabonds tenaient leur camp. Je cherchai, je ne trouvai point, et, pour ne pas perdre ma nuit, je me postai à l'affût dans une coulée qui était à sangliers.

« Il y a des jours et des nuits comme cela : pas plus de sangliers que de bohèmes !

« Au petit jour, je m'en revenais de mauvaise humeur quand je sentis tout à coup une odeur de fumée ; il n'y avait point de sabotiers dans le quartier.

« – Mes bohèmes ! m'écriai-je, et j'allai contre le vent qui m'apportait l'odeur de brûlé.

« Au milieu d'une clairière il y avait un large feu presque éteint.

« Les bohèmes venaient de partir et j'allais retourner au manoir lorsque j'aperçus auprès des cendres un petit paquet blanc...

Muguette lui tendit ses deux mains.

– C'était moi, le petit paquet ? dit-elle.

– C'était toi, répondit Fortune, qui avait un tremblement dans la voix, et je ne sais pas pourquoi je te radote cette histoire si souvent racontée.

– Oh ! s'écria l'enfant, dont les grands yeux suppliaient, dis, dis encore !

– C'était toi, le petit paquet blanc, reprit Fortune. Quand je m'approchai et que je vis une pauvre enfant de six ans enveloppée toute blême dans une sorte de suaire, je crus qu'ils t'avaient oubliée.

« Mais ils ne t'avaient pas oubliée, ils t'avaient laissée pour morte. Si je te pris dans mes bras et si je t'emportai, ce fut pour te donner une sépulture en terre sainte.

« En chemin, cependant, tu te réchauffais lentement contre mon cœur, et à une demi-lieue du manoir tes pauvres grands yeux s'ouvrirent. Te souviens-tu de cela ?

Muguette éleva la main de Fortune jusqu'à ses lèvres. Il y avait une larme qui roulait lentement sur sa joue.

– Du plus loin qu'on put m'entendre au manoir, reprit Fortune, je criai : Bonne chasse ! bonne chasse ! et j'entrai triomphalement.

« Le vieux majordome de la comtesse regarda ma chasse et me dit :

« – Ne pouvais-tu laisser cela dans la forêt ?

« Il entra chez la vieille dame et revint avec cet arrêt :

« – Avant de déjeuner, mon drôle, tu vas porter ce paquet aux enfants trouvés de Poitiers.

« J'allai vers Mlle Aldée qui te regarda longtemps et qui rougit en me disant :

« – Raymond, tu ne sais pas cela ; nous sommes bien pauvres.

« Je répondis :

« – Demoiselle Aldée, je lui donnerai un peu de mon pain et vous un peu du vôtre. »

XIII

Où Fortune demande des explications à sa petite cousine Muguette

– Je ne pense pas t'avoir donné souvent de mon pain, Muguette, continua Fortune, car j'avais un terrible appétit ! Mais Aldée de Bourbon aurait eu faim plutôt que de te laisser manquer de rien. Tu repris bien vite les jolies couleurs de ton âge, et j'avais tant de bonheur à te voir fleurir comme une rose de mai ! Tu étais jolie, jolie !

« Moins jolie qu'aujourd'hui, ma fille, s'interrompit-il ; mais ne crains jamais rien de moi ; il me semble que partout où tu es, Dieu regarde.

– Je ne craindrai jamais rien de toi, murmura Muguette.

– Je commençais, poursuivit Fortune, à voir plus clair autour de moi. J'approchais de mes vingt ans, et l'idée m'étais déjà venue d'être bon à quelque chose, mais je ne savais rien faire.

« C'était une étrange maison : quelques vieux serviteurs qui allaient s'éteignant dans un dévouement plaintif et une sorte de vivant cadavre, rongé par une tristesse sans nom, autour duquel s'empressait un ange...

Muguette dit :

– C'est toujours ainsi, sauf un point : il n'y a plus de serviteurs.

– Dans ce manoir, poursuivit Fortune, la pensée du dénuement obsédait tout le monde, excepté moi peut-être, et la vieille dame, qui parlait toujours d'opulence chaque fois que ses lèvres de marbre s'ouvraient.

« Était-ce une folie ? ou bien Aldée, la sainte, avait-elle, par un pieux mensonge, caché à sa mère la détresse qui grandissait toujours ?

La jolie tête de Muguette s'inclina en signe d'affirmation.

– Il y eut un jour de dimanche, reprit Fortune, où Aldée de Bourbon refusa d'aller à la messe parce que sa robe tombait en lambeaux.

Ce fut pour moi un trait de lumière, et le lendemain je partis.

Muguette devint toute rose et détourna les yeux.

– Vous nous quittiez, dit-elle, pour gagner au loin quelque salaire et nous envoyer du secours.

La figure de Fortune était à peindre : elle exprimait un remords si profond et si comique à la fois que Muguette, en relevant les yeux, ne put s'empêcher de sourire.

– Corbac ! fillette, s'écria Fortune, ne te moque pas de moi ! j'ai envie de pleurer. J'ai été pauvre bien souvent, mais j'ai été riche parfois et je n'ai rien envoyé aux seuls êtres que j'aime en ce monde ! Toi qui est restée toujours dans ton nid, tu ne sais pas ce que c'est que les aventures. Cela entraîne, cela enivre... mais à quoi bon discourir ? Il y a un fait certain, c'est que je suis un misérable !

– Par exemple ! protesta Muguette.

– Tais-toi ! la mule du pape ! je prendrai ma revanche.

– Et qu'es-tu devenu, cousin Raymond, depuis le temps ? demanda la fillette.

Rien de bon, répliqua notre cavalier avec rudesse, et je veux que le diable m'emporte si c'est le moment de raconter mes méchantes équipées. Vois-tu, je vais me convertir et vivre comme un petit saint. Il y a temps pour tout, sang de moi ! C'est assez de folies, me voilà rangé, n'en parlons plus.

Muguette souriait toujours.

– Voyons, reprit Fortune sans la regarder, que fais-tu, toi, chérie ?

– Je brode, répondit Muguette, qui montra son métier.

– Est-ce un bon état ?

– Pas trop.

– Alors, tu n'es pas plus riche qu'autrefois ?

– Oh ! si fait, répondit vivement la fillette.

– Comment, si fait : tu as de l'argent ?

– Oui... depuis quinze jours j'ai de l'argent.

Le regard de Fortune exprima une vague inquiétude.

– Et comment gagnes-tu cet argent, interrogea-t-il encore, avec ta broderie ?

Muguette éclata de rire.

– Non pas ! dit-elle, et je te le donnerais bien en mille à deviner.

Son doigt mignon désigna la bergère qui était devant la croisée.

– Voilà ma richesse, ajouta-t-elle.

Et comme Fortune ouvrait de grands yeux, elle prit un petit ton grave pour lui fournir cette explication :

– On est bien mieux ici que dans la grande rue Saint-Antoine, pour voir la tour au sommet de laquelle M. le duc se promène.

– Encore ce diable de duc ! s'écria Fortune.

– Il n'y a pas un seul balcon dans toute la rue Saint-Antoine, reprit Muguette, où l'on soit si bien qu'ici pour voir et faire des signaux. On pourrait presque parler.

Les sourcils de Fortune étaient froncés. Muguette continua, espiègle et joyeuse :

– C'est Mme la maréchale qui a découvert ma chambre : elle l'appelle son observatoire. Un jour que je lui reportais une broderie, elle me demanda obligeamment où pouvait percher une jolie fillette comme moi. Je lui fis la description de ma mansarde ; et comme elle me demandait quels toits, quelles cheminées, quels tuyaux de poêle j'apercevais de mon cinquième étage, je lui répliquai naturellement : « Je vois la Bastille comme si j'y étais. » Le lendemain Mme la maréchale vint visiter ma mansarde pour me prouver tout l'intérêt qu'elle voulait bien me porter. Elle se plut tellement chez moi qu'elle y resta une grande heure, c'est-à-dire tout le temps de la promenade de M. le duc. En s'en allant, elle me pinça la joue et me donna deux beaux louis d'or tout neufs.

– Vieille folle ! gronda Fortune.

– Mais ce n'est rien, continua Muguette : Mme la maréchale ne put pas garder son secret auprès de ses bonnes amies. Elle était si contente et si fière qu'elle divulgua sa trouvaille. Je reçus une duchesse d'abord, qui vint m'apprendre que j'étais la première brodeuse de Paris, puis une présidente dont le bon cœur voulut connaître mes petites affaires.

« Ce fut la présidente qui m'envoya un matin son tapissier avec cette bergère pour que je pusse prendre le frais commodément, le soir, à ma croisée : la bonne dame s'était fatiguée à rester trois quarts d'heure debout.

« Maintenant on vient s'inscrire à ma porte. La première chose que fait M. le duc en montant sur son promenoir, c'est de regarder à ma croisée. Il est sûr de trouver là quelqu'un pour faire la causette par signes.

« Il y en a qui veulent l'heure tout entière, les gourmandes ; quelques-unes se contentent d'un quart d'heure, et alors les autres attendent.

« La plupart désirent être seules ; mais j'en ai vu venir deux à deux, trois à trois, et alors on rit ensemble, ensemble on pleure.

« Avant-hier, je n'ai pu éviter un grand malheur : il y en a deux qui se sont battues, mais là, bien comme il faut, et plus vaillamment que les dames de la halle. »

Fortune se mit à rire et dit avec admiration :

– C'est que tu racontes tout cela comme un ange ! Où diable astu pêché ton esprit, petite fille ?

– Pense donc, répliqua Muguette, toutes ces dames en ont à revendre. C'est leur état. Les moins huppées parmi celles que je reçois sont des comtesses. Si tu savais comme elles parlent bien par gestes. J'ai été voir une fois la pantomime auprès de l'église Saint-Laurent ; mais les comédiennes de là-bas ne sont que des apprenties à côté de mes duchesses. M. le duc, aussi, est devenu très fort ; il sait regarder le ciel et montrer du doigt les moineaux pour dire : « Je voudrais bien être libre comme eux ! » Il met la main sur son cœur admirablement et envoie des baisers par délices. Il a un mouchoir blanc bordé de dentelle pour essuyer ses yeux quand la conversation est attendrissante ; ses cheveux sont coiffés à la pleureuse, et sa chemise de fine batiste reste déboutonnée comme celle des condamnés qui vont avoir la tête tranchée.

– Et, demanda Fortune, il ne t'a jamais adressé de signes, à toi ?

– Non, répliqua la fillette qui devint sérieuse, mais...

– Mais quoi ? dit vivement Fortune.

Muguette avait déjà pris son air mutin.

– Moi, murmura-t-elle, je suis trop peu de chose, et si j'avais jamais dû aimer une poupée de cire, ce que je vois ici m'en aurait bien guérie.

Fortune lui baisa les mains avec transport.

– Poupée de cire ! s'écria-t-il, corbac ! tu ne l'as pas manqué du premier coup ; ce Céladon banal est une poupée de cire, une poupée de sucre plutôt ! un bonbon qui se casse en petits morceaux et dont toutes les effrontées de Paris ont chacune une miette !

La jeune fille le regarda entre les deux yeux :

– Vous parlez comme un livre, mon cousin Raymond, dit-elle ; celle que vous aimez est heureuse, car vous devez avoir la vertu de constance.

Fortune rougit jusque derrière les oreilles.

– Toi, dit-il, tu as une manière de fixer les gens qui brûle comme un coup de soleil. La vertu de constance et toutes les autres vertus je les ai, tête-bleu ! Ce n'est pas le mérite qui me manque. Mais voyons ! tu dois gagner des mille et des cents avec toutes ces pimbêches qui louent ta bergère à la minute ?

– Mes affaires ne vont pas mal, répondit Muguette d'un petit air modeste.

– Si elles sont toutes aussi généreuses que Mlle la maréchale... commença Fortune.

– Il y en a qui donnent plus, interrompit la fillette, il y en a qui donnent moins. Je garde ma dignité et ne taxe personne ; mais l'un dans l'autre, ma bergère me vaut bien cinq ou six pistoles tous les jours.

– Et que fais-tu de tant d'argent ? demanda Fortune.

Muguette fut un instant avant de répondre. Ses paupières étaient baissées.

– Raymond, dit-elle d'un accent qu'elle n'avait pas pris encore, tu as parlé de Mme la comtesse et tu as parlé de Mlle Aldée, mais tu as oublié de t'informer d'elles. Voilà plus d'une heure que nous sommes ensemble, et j'attends ta première question.

– Je l'ai oublié, répondit Fortune, et ce n'est pas manque d'envie ; mais que veux-tu ? les choses tristes me font peur : c'est le courage qui ne m'est pas venu.

– Es-tu assez fort pour te lever ? demanda Muguette.

– Au fait, s'écria notre cavalier, je ne peux pas coucher ici.

Comme le temps passe avec toi ! Voici déjà la brune qui tombe.

Le jour allait en effet baissant.

– Si tu te sens assez fort, reprit Muguette, lève-toi, je vais aller à la croisée pour te donner le temps de faire ta toilette.

Elle quitta son siège et se mit à la fenêtre où elle resta le dos tourné.

Fortune n'eut pas trop de peine à descendre du lit.

– Une meurtrissure à la jambe, dit-il, une égratignure à la poitrine, cela ne vaut pas la peine d'en parler. Sais-tu que tu as une taille de fée, Muguette ? les godelureaux du quartier doivent te conter bien des fadeurs... Bon ! tu ne réponds plus, te voilà qui rêves.

– Es-tu prêt ? demanda la jeune fille.

– Je mets le dernier bouton de ma soubreveste. Là ! Maintenant, je suis en grande tenue et je pourrais entrer à l'audience de M. le régent. Où vas-tu me conduire ?

– Pas bien loin, répondit Muguette, qui se retourna et marcha vers la porte.

En passant devant Fortune, elle le toisa d'un regard souriant.

– Il n'y a pas à dire, murmura-t-elle, tu es devenu un superbe cavalier.

Fortune se campa.

– Encore fait-il trop brun, maintenant, répondit-il, pour que tu puisses voir en détail ma tournure.

Muguette ouvrit la porte.

– Suis-moi, dit-elle, nous descendons.

– Pourquoi faire ? demanda Fortune un peu au hasard.

– Pour que tu saches, répondit la fillette, à quoi je dépense mon argent.

Elle prit les devants.

C'est à peine si son pas leste et gracieux effleurait les marches de l'escalier.

Elle descendit ainsi quatre volées et ne s'arrêta qu'au premier étage, devant une porte fermée.

Au lieu de frapper, Muguette tira une clé de sa poche et l'introduisit dans la serrure.

Fortune n'interrogeait plus. Il avait deviné. Son cœur battait et il avait un poids sur la poitrine.

Avant de pousser le battant de la porte, Muguette lui dit.

– Surtout ne fais pas de bruit. Vers le crépuscule du soir, Mme la comtesse s'assoupit toujours, et c'est le seul moment où Mlle Aldée puisse prendre un moment de repos.

Fortune gardait le silence : il avait froid. C'est lui-même qui nous l'a dit : les émotions solennelles lui faisaient peur.

La porte s'ouvrit. Muguette et lui entrèrent dans une pièce sombre, car à mesure qu'ils descendaient ils avaient trouvé d'étage en étage l'obscurité la plus complète, et ici là nuit était tout à fait venue.

Dans l'ombre, Fortune se sentit prendre par la main ; ils traversèrent, Muguette et lui, toute la largeur de la chambre. Une autre porte fut ouverte qui donna passage à une clarté.

Il n'y avait pourtant pas de lumière dans la seconde chambre où ils entraient ainsi, mais elle communiquait par une large baie avec une troisième pièce où une lampe de grande dimension brillait sur un guéridon sculpté.

Juste en face de la baie il y avait un lit de forme antique, autour duquel se drapaient de lourds rideaux tombant d'un ciel à baldaquin et relevés des deux côtés par des embrasses de bronze.

Ce lit supportait une forme immobile, couchée sur le dos et les bras en croix, parfaitement semblable à ces statues que l'on étend sur la pierre des tombeaux.

Muguette traversa la seconde chambre et Fortune la suivit, marchant sur la pointe des pieds.

C'était une femme qui était sur le lit. La lumière de la flamme effleurait obliquement ses traits qui étaient de marbre.

Nous avons parlé de tombeaux et de statues ; cette femme, qui avait la tête nue et posée dans le cadre de ses cheveux gris rigides, était bien vraiment une statue sur un tombeau.

Autour d'elle, la troisième chambre présentait une sorte de luxe suranné, mais grand et sévère.

Au pied du lit, il y avait une autre femme, assise ou plutôt demi-couchée dans un vaste fauteuil, et dont la tête pâle se renversait parmi les masses d'une admirable chevelure noire.

Elle dormait. Les rayons de la lampe tombaient d'aplomb sur son visage qui était d'une merveilleuse beauté.

Elle dormait dans une pose accablée et comme découragée ; ses longs cils noirs tranchaient sur sa joue plus blanche que l'albâtre, et ses lèvres s'entrouvraient en un mélancolique sourire.

– Mme la comtesse ! murmura Fortune dont la voix tremblait, Mlle Aldée.

Muguette et lui étaient arrêtés au seuil de la chambre.

Muguette lui toucha le bras et dit tout bas :

– C'est à cela que je dépense mon argent.

XIV

Où Fortune parle raison avec Muguette

Muguette et Fortune étaient revenus sur leurs pas ; ils s'assirent tout les deux sur un lit de camp, dans la chambre d'entrée dont Muguette avait refermé la porte et où elle venait d'allumer un flambeau.

Cette pièce contrastait par sa nudité complète avec celle où Mme la comtesse de Bourbon et sa fille Aldée reposaient.

À part le lit de camp, il n'y avait pas même un siège.

Fortune tenait dans ses mains les deux mains de Muguette, et il avait les yeux mouillés.

– Quel bon petit cœur ! murmurait-il ; quelle chère petite âme ! C'est toi qui as fait ce que j'aurais dû faire.

– N'est-ce pas comme si tu l'avais fait ? répondit Muguette. C'est toi qui m'as donnée à elles.

– Corbac ! s'écria Fortune, c'est pourtant la vérité, et ce jour-là je leur ai fait un joli cadeau, ou que le diable m'emporte !

Il forçait la dose ordinaire de ses jurons pour cacher l'émotion profonde qui le tenait.

– Voilà quinze jours, reprit Muguette, tout le reste de la maison était nu et froid comme ici ; nous l'avions louée sans savoir comment nous pourrions la payer. Tu vois bien que le duc de Richelieu peut servir à quelque chose.

Fortune haussa les épaules, mais son dépit souriait.

– Mme la comtesse avait des crises terribles, poursuivit Muguette, l'aspect de ces murailles nues l'exaspérait et la tuait ; car plus elle va, plus son intelligence s'obscurcit et plus son cœur s'éteint. Il n'y a pour survivre en elle qu'un sentiment ; c'est le regret de sa grandeur passée, de son luxe, que sais-je ? Quelquefois, pendant des demi-journées, Mlle Aldée est là qui l'écoute, racontant les fêtes brillantes de sa jeunesse, les réceptions à la cour, les hommages dont elle était entourée.

« Elle fait le compte de ses diamants, elle décrit ses toilettes, les moindres détails qui reviennent... Mais en dehors de cela, elle ne sait pas, c'est la pure vérité, si sa fille souffre ou si elle est heureuse.

– Heureuse ! répéta Fortune, c'est impossible : elle est trop changée.

– C'est impossible, en effet, répliqua Muguette. Quand je disais heureuse, cela signifiait seulement tranquille, car le bonheur ne peut pas entrer dans ce sépulcre où la plus belle des femmes dépense sa jeunesse à veiller une morte.

– La plus belle des femmes ! dit Fortune après elle ; il semble qu'elle soit plus belle encore dans la tristesse de son dévouement.

Muguette soupira.

– Oui, prononça-t-elle tout bas, c'est certain, j'ai remarqué cela ; depuis quinze jours, elle est bien plus belle.

Elle s'interrompit pour ajouter :

– Je travaillais, tant que je pouvais, et Mademoiselle travaillait aussi, car elle a bien du courage ; mais c'est, à peine si nous pouvions subvenir toutes deux aux besoins de la vieille dame. Nous autres, le pain nous suffit, mais la pauvre comtesse ! quand elle n'a pas sur la table deux ou trois mets choisis, auxquels, bien souvent, elle ne touche même pas, son humeur noire devient folle. Elle parle d'humilité, d'abandon, et combien de fois dis-moi n'a-t-elle pas dit à Mlle Aldée : « Vous êtes une mauvaise fille. »

Fortune se leva et fit un tour dans la chambre.

Muguette poursuivit :

– C'est la maladie. Sa pauvre tête est si faible ! J'ai ouï-dire qu'autrefois, sous la sévérité de son caractère, il y avait une grande bonté ; mais maintenant tout est fini, et vois où elle en est arrivée ! Quand j'ai pu acheter ces meubles et faire venir les tapissiers, elle a éprouvé une joie d'enfant ; c'était comme une résurrection ; elle se tenait debout tout le jour, elle allait et venait, commandait aux ouvriers et disant comment il fallait disposer toute chose pour rappeler la grande manière de ses anciennes demeures. Tantôt elle activait le travail, tantôt elle l'arrêtait pour faire de longues descriptions où elle mettait une chaleur extraordinaire et toujours elle ajoutait :

« – C'est ainsi que doit être la maison d'une cousine de Sa Majesté le roi. »

Fortune n'écoutait plus.

Il revint s'asseoir auprès de la fillette et lui demanda tout bas :

- Depuis que Mlle Aldée te semble plus belle, n'as-tu remarqué en elle aucun autre changement ?

Le regard naïf mais fin de Muguette l'interrogea.

- Tu ne me comprends peut-être pas, poursuivit Fortune : je voudrais savoir si depuis que Mlle Aldée te semble plus belle tu ne la trouves point aussi plus triste ?

- Oh ! fit Muguette en baissant les yeux, si fait, beaucoup plus triste. Et c'est une chose singulière, il y a des moments où son teint s'anime, où ses yeux brillent. Et, alors, je reste éblouie à la regarder : on dirait qu'au milieu de sa peine un mouvement de joie a passée.

La réflexion ridait bien rarement le front de notre ami Fortune, mais en ce moment deux plis profonds se creusaient entre ses sourcils et ses cheveux.

- Ah ! fit-il. Tu m'as dit qu'elle sortait peu ?

- Elle ne sort plus du tout, répondit Muguette.

Fortune changea de position sur le lit de camp et se mit à fredonner un refrain.

- Eh bien ! s'écria la fillette scandalisée, que fais-tu ?

- Bon, bon ! dit notre cavalier, on se tait, ma fille. Quand j'ai martel en tête, vois-tu, je chante. C'est un tic.

- Et tu as donc martel en tête ? demanda Muguette.

Fortune ne répondit point.

Après un instant, il reprit :

- Est-ce que personne ne couche ici près d'elles ?

- Oh ! si fait, repartit Muguette. En haut, mon lit n'est que pour la forme, je m'étends sur ce cadre toutes les nuits.

Notre cavalier tourmentait la dentelle de ses manchettes.

- C'est qu'elle est si pâle ! murmura-t-il, et ce sourire qui entrouvrait ses lèvres m'a paru si singulier !

- Oh ! interrompit Muguette, dès qu'elle s'endort, elle sourit ainsi. J'y suis habituée.

Fortune semblait chercher laborieusement ses paroles.

– Elles ne reçoivent personne ? demanda-t-il avec une indifférence affectée.

– Seigneur Dieu ! s'écria Muguette, recevoir quelqu'un ! Mais c'est une prison ici, mieux fermée que la Bastille !

– Et pourtant, corbac !... s'écria notre cavalier.

Il s'arrêta, pris d'une véritable colère.

– Qu'as-tu donc, mon cousin Raymond ? demanda la fillette étonnée.

– J'ai que je ne sais pas comme je t'aime, répliqua brusquement Fortune, et que je donnerais la dernière goutte de mon sang pour Aldée !

– L'aimes-tu donc mieux que moi ? murmura Muguette, dont la joue perdit ses fraîches couleurs.

Fortune lui prit les mains et plongea ses regards dans ses yeux.

– Toi, dit-il, tu es la joie. Plus on t'aime, plus on est content de soi. Mais nous jouons aux charmes, pauvre chérie. Si tu étais une autre femme, je saurais déjà ce que je veux savoir.

– Que veux-tu savoir, cousin Raymond ? interrogea Muguette.

Fortune toussa et dit :

– Quand elle allait à la paroisse Saint-Paul, tu restais pour garder la malade ?

– Naturellement.

– Alors, tu ne peux pas savoir...

Fortune s'arrêta et Muguette demanda, prise d'impatience :

– Qu'est-ce que je ne peux pas savoir ?

– La mule du pape ! gronda notre cavalier qui se mit à arpenter la chambre, ça ne va pas tout seul avec les petites filles !

Pendant qu'il se creusait la tête pour trouver la manière de tourner une question décisive, Muguette le prévint et dit tout à coup :

– Eh bien ! oui là, je crois qu'elle aime quelqu'un.

Du bout de la chambre où il était, Fortune revint à elle en deux sauts.

– Ah ! fit-il très ému, mais en même temps soulagé de son grand embarras : tu crois cela, toi ?

– J'en suis sûre, prononça gravement Muguette.

– Qui aime-t-elle ?

– Je n'en sais rien.

– Tu as des soupçons, au moins ?

– Pas l'ombre des soupçons.

– Enfin, corbac ! s'écria Fortune, pour aimer quelqu'un il faut le voir ou l'avoir vu, que diable !

Muguette était toute rêveuse.

– Mon cousin Raymond, dit-elle, on aime quelquefois un souvenir...

Ses yeux évitèrent le regard de Raymond qui rougit et murmura :

– Est-ce que tu croirais qu'elle se souvient de moi ?

Les paupières de la fillette se relevèrent, tandis qu'elle se disait tout bas :

– Pour cela non, ce n'est pas elle !

Puis elle reprit avec précipitation :

– En un mot comme en mille, je ne sais rien de rien. Seulement, je la vois pâlir et il me semble qu'elle devient plus belle comme une âme qui ne tiendrait plus à terre. Elle est distraite souvent, elle ne me parle plus comme autrefois, et quand je lui parle, elle tressaille. C'est comme si on l'éveillait brusquement... surtout quand elle est là, toute seule, assise auprès de sa fenêtre ouverte.

– Et que voit-on de sa fenêtre ? demanda Fortune.

– On ne voit rien.

– Comment, rien ?

– On ne voit que les murailles noires de la Bastille.

Après cette réponse il y eut un silence.

– Corbac ! pensait Fortune, je ne ferais jamais un pas de clerc comme le frère de cette Mme Michelin. Je ne suis pas homme à me tromper, et si je me mets une fois dans l'esprit que ce duc doit avoir la tête cassée, il ne vivra pas vieux, j'en réponds !

– À quoi penses-tu, mon cousin Raymond ? dit Muguette.

– À toi, répliqua Fortune... J'ai parcouru bien des pays depuis le temps, mais je n'ai jamais rencontré un ange aussi mignon que toi. Tel que tu me vois, j'ai quinze mille livres dans ma poche, et du diable si je pourrais trouver une meilleure façon de les dépenser. J'ai mon idée, vous allez déménager... Ce qui rend Mlle Aldée si triste et si pâle, c'est de regarder toujours les murailles noires de la Bastille. Je veux que vous alliez loin d'ici, dans un quartier où il y ait des arbres et de la verdure.

Muguette secoua sa tête blonde.

– Je le veux, répéta Fortune.

Il retourna ses poches et mit son trésor en tas dans le creux du tablier de la fillette.

Celle-ci dit :

– Comme tu es bon, mon cousin Raymond ! Il y a là beaucoup d'argent, jamais je n'en avais tant vu en ma vie. Mais il n'y en a pas encore assez pour faire une dot à Mme de Bourbon.

– Je donne ce que j'ai, dit Fortune ; on ne peut faire mieux.

Mais se ravisant aussitôt, il s'écria :

– Sang de moi ! tu as plus d'esprit dans ton petit doigt qu'une douzaine de duchesses, de présidentes et maréchales ! Il faut que Mlle de Bourbon soit riche, c'est clair, et qu'elle voie des gentilshommes de son rang afin de choisir, et qu'elle se marie, et qu'elle soit heureuse en ménage.

Tout en parlant, il reprenait ses pistoles à poignées et les remettait dans sa poche.

Muguette, ébahie, le regardait.

– C'est clair ! c'est clair ! répétait-il, cela saute aux yeux ! et quoi de plus facile ? La mule du pape ! sans toi, je n'y aurais pas songé. Bonsoir, Muguette chérie. Je vais aller chercher la dot de Mme de Bourbon.

– Est-ce que tu es fou, mon cousin Raymond ? balbutia Muguette abasourdie.

Fortune riait bonnement.

– Non, je ne suis pas fou, répondit-il, et je demande à quoi servirait d'avoir une étoile si on n'en fait pas usage. Combien faut-il pour la dot ?... deux cents ?... trois cents ? Ne te gêne pas : je sais l'endroit où les millions se remuent à la pelle.

Il prit à deux mains la tête bouclée de la fillette et la baisa.

– Au fait, reprit-il en s'élançant vers la porte, nous n'avons pas besoin de convenir du chiffre, j'apporterai ce qu'il y aura. Bonsoir.

Muguette voulut courir après lui, mais il était déjà au bas de l'escalier.

XV

Où Fortune va cueillir la dot de Mlle Aldée

Fortune redescendit la rue Saint-Antoine à longues enjambées. La blessure de sa poitrine le cuisait bien un peu et sa jambe foulée lui arrachait de temps en temps un juron, mais il était de fer et marchait en somme d'un bien meilleur pas que tel beau fils de la cour qui aurait eu un pli à son bas de soie ou un grain de sable dans sa botte.

La rue Saint-Antoine avait complètement changé d'aspect et ne gardait qu'un seul trait de sa physionomie : la sombre masse de la Bastille, dont les remparts arrêtaient la vue vers l'est.

Il n'y avait plus trace d'équipages ; les balcons étaient déserts, et les boutiques allaient se fermant.

Fortune suivait les maisons, la tête haute et la main sur la garde de sa rapière. Quand les voleurs rencontrent un gaillard de sa tournure, ils cèdent le pas.

Fortune avait le cœur léger ; la conscience de la bonne action qu'il allait accomplir le tenait en joie et il se disait :

– J'aurais voulu faire pour notre belle Aldée quelque chose de plus difficile, mais au demeurant mieux vaut que tout aille sans encombre, puisque son pauvre cœur malade attend le médecin. J'ai eu de la peine à confesser la petite cousine... C'est singulier, voilà deux créatures adorables qui ne m'inspirent aucune frivole pensée de galanterie. Ce n'est pas que cette petite Muguette ne me trotte dans la cervelle, quel cher cœur ! et comme elle est délicieusement jolie ! Mais enfin, je briserais les côtes de quiconque me soupçonnerait de la vouloir mener à mal. Par là, corbleu ! rien que d'y penser j'ai le frisson.

« C'est comme une famille pour moi, s'interrompit-il, une vieille mère et deux sœurs. Seulement, je serais bien fâché si Muguette était véritablement ma sœur. Pourquoi cela ? Je n'en sais rien et je ne veux pas le savoir. À moins que ce ne soit pour l'épouser dans une douzaine d'années, quand nous serons mûrs tous les deux. Voilà une excellente idée.

Il doubla le pas et fut obligé d'ôter son feutre parce que sa tête brûlait.

Il essaya de fredonner, selon sa coutume dans les grandes occasions, mais la rêverie le tenait bel et bien.

– Voyons ! voyons, s'écria-t-il avec colère, à force de dire que je ne peux être amoureux de ma petite cousine Muguette, est-ce que j'en aurais dans l'aile ? Il ne faut pas trop aller de ce côté-là, je le vois bien. Ce côté-là, c'est le mariage, et le mariage n'est pas, pour les gens comme moi, que quand ils ont la barbe grise. M. et Mme Fortune ! Cela sent son petit commerce ! Il faudrait monter une boutique de mercerie avec le Gagne-Petit pour enseigne... à d'autres ! Nous avons du temps devant nous. Voici ce qui est raisonnable, je vais leur donner ma soirée, et demain je serai tout entier à mes grandes affaires, à mes ambitions, à mes amours : l'Arsenal, la sœur d'Apollon et la belle Badin, qui est en femme ce que je suis en homme une conquérante, morbleu ! La vraie Mme Fortune.

Il avait quitté depuis longtemps le quartier Saint-Antoine et tournait l'église Saint-Merry pour entrer dans la rue Aubry-le-Boucher qui allait le conduire à cette étrange Bourse où, affolé, agiotait jour et nuit sur les actions de la banque de Paris M. Law.

Le tripotage officiel cessait à la tombée de la nuit : mais la petite Bourse, la coulisse, comme on devait dire plus tard et les cabarets mal famés où l'on jouait le passe-dix, le pharaon et la bassette ne fermaient jamais.

Nous confesserons ingénument que, pour le cavalier Fortune, la dot si facile à cueillir de Mlle de Bourbon était dans n'importe lequel des nombreux cabarets ouverts dans les rues Quincampoix et des Cinq-Diamants.

On faisait là chaque jour des rafles féeriques. L'écu du mendiant pouvait y devenir, dans une soirée, million de grand seigneur.

L'aveugle déesse régnait en ce lieu si souverainement que l'imagination la plus bizarre ne saurait rien ajouter aux péripéties insensées qui étaient le pain quotidien de la réalité.

Fortune venait de traverser des quartiers complètement déserts.

Au moment où il tournait l'angle de la rue Aubry-le-Boucher, il commença à entendre un lointain bourdonnement.

La rue Aubry-le-Boucher n'était pas mieux éclairée que les autres ; mais à l'endroit où elle passait entre la rue Quincampoix et la rue des Cinq-Diamants, il y avait une grande peur, du mouvement et du bruit.

Il avait un enjeu respectable : quinze cents pistoles ; pour lui, il ne s'agissait que de laisser faire son étoile, de se baisser pour prendre.

Quand il arriva au point de jonction des deux fenêtres où tant d'or ruisselait chaque jour, il était déjà pris par la fièvre du jeu.

À sa droite, la rue Quincampoix offrait une longue suite de lanternes flamboyantes dont chacune marquait l'entrée d'un tripot ou d'un cabaret ; à sa gauche, la rue des Cinq-Diamants, beaucoup plus étroite ; si étroite qu'un carrosse n'aurait pu s'y engager, ne présentait qu'une seule lanterne de taille énorme, sur le verre dépoli de laquelle trois silhouettes de singes gambadaient.

Fortune, après avoir hésité, se décida pour le nombre et tourna sur sa droite.

Entre toutes les lanternes, il en était une qui brillait, comme la lune au milieu des étoiles : c'était celle de ce bouge historique : « L'Épée-de-Bois », où M. le comte de Horn, cousin du régent de France, assassina un joueur heureux pour lui voler quelques milliers de livres.

Le régent de France laissa pendre M. le comte de Horn, son cousin ; par contre, il ne s'avisa point de fermer les tripots où ce gentilhomme avait perdu, comme tant d'autres, son argent, sa raison et son honneur.

Fortune alla droit à l'Épée-de-Bois, comme les papillons volent à la chandelle, mais la réputation de cet illustre établissement était si bien faite qu'un enfant n'aurait pu s'y glisser.

Les joueurs refoulés de la salle basse engorgée, débordaient au-dehors et attendaient leur tour les pieds dans le ruisseau.

Il en était de même à peu près des repaires plus modestes qui entouraient l'Épée-de-Bois, et Fortune, après avoir tenté inutilement l'assaut d'une demi-douzaine de coupe-gorge, fut obligé de se rabattre sur la rue des Cinq-Diamants et les Trois-Singes.

Là on pouvait entrer, à la rigueur, quand on avait de bons bras pour s'ouvrir un passage et une poitrine robuste pour respirer sans tomber asphyxié par la méphitique atmosphère de l'intérieur.

La rue des Cinq-Diamants était comme la banlieue de la rue Quincampoix. Elle venait d'être découverte et annexée par le fait d'un hardi spéculateur dont nous avons prononcé le nom plusieurs fois et qui va devenir, grâce aux événements de cette soirée, un des personnages les plus importants de notre récit.

Le sieur de Chizac était de Bordeaux. On l'avait vu arriver pieds nus, vers la fin du dernier règne, et traîner des brouettes à la halle. Il nous en vient encore de Bordeaux par douzaines. Maintenant, tout le monde le connaissait sous le nom de Chizac-le-Riche.

M. Law lui disait bonjour ; l'abbé Dubois lui devait de l'argent, et Philippe d'Orléans songeait à lui en emprunter.

Sourdement, adroitement, et comme les gens de son espèce savaient agir dès ce temps-là, Chizac avait passé une année à se rendre propriétaire, par beaux contrats authentiques, de toutes les vieilles maisons enfumées et noires qui bordaient la rue des Cinq-Diamants.

Mais, eu égard à son époque, Chizac était un inventeur. Il fit enlever les bornes qui fermaient l'entrée de sa rue ; il en badigeonna les premières maisons, il y pendit deux réverbères : et tout le monde put voir, ce dont personne ne s'était encore douté, que la rue des Cinq-Diamants prolongeait directement la rue Quincampoix.

L'espace manquait depuis longtemps déjà dans ce dernier enfer. Un audacieux, et c'était Chizac lui-même, ayant fait passer à ses bureaux le ruisseau Aubry-le-Boucher, vingt imitateurs le suivirent. En deux mois, ce roué de Chizac vendit pour une demi-douzaine de millions la moitié de ce que lui avait coûté deux ou trois cent mille livres.

Il manquait cependant une consécration à ce jeune faubourg. Tous les tripots restaient rue Quincampoix : Chizac déterra, parmi les joueurs malheureux qui rôdaient comme des ombres autour des prétendues mines d'or du Mississippi, un pauvre diable qui avait eu beaucoup de talent : c'était Guillaume Badin, première basse de viole à l'Opéra, et père de notre belle Thérèse.

Chizac se fit son bienfaiteur. Il lui donna, moyennant un lourd loyer, le rez-de-chaussée tout entier d'une de ses maisons et lui prêta l'argent qu'il fallait pour transformer ce rez-de-chaussée en cabaret.

Telle fut l'origine des Trois-Singes qui devaient faire plus tard une concurrence victorieuse à l'Épée-de-Bois.

Chizac poussa plus loin la bonté. Comme il était impossible de dormir aux Trois-Singes où les joueurs hurlaient à tour de rôle vingt-quatre heures par jour, Chizac, moyennant quatre cents livres par mois, octroya à Guillaume Badin le droit de coucher dans une sorte de trou situé de l'autre côté de la rue et faisant partie de sa propre maison, à lui, Chizac.

Ce trou, qui avait servi autrefois à remiser une voiture de marchande des quatre-saisons, s'ouvrait sur la rue même, juste en face du cabaret.

La marchande des quatre-saisons l'avait payé, jusqu'à dix livres par année, autrefois.

À quatre mille huit cents livres de loyer annuel Guillaume Badin convenait que, maintenant, le trou n'était pas cher.

Avant d'être cabaretier, Guillaume Badin avait dans le monde Quincampoix une solide réputation de joueur malheureux.

On racontait qu'il avait perdu une fois jusqu'aux hardes de sa fille et que la pauvre belle enfant était restée au lit toute une semaine, faute d'avoir une jupe à se mettre.

Mais, depuis que Guillaume Badin était cabaretier, laissant sa basse de viole sans cordes tendue à un clou dans sa mansarde de la rue des Bourdonnais, la chance avait tourné.

Aussitôt qu'il prenait les dés ou les cartes, il gagnait toujours ; s'il achetait des actions de la banque du Mississippi, les actions montaient ; s'il vendait, les actions baissaient.

Il passait déjà pour avoir de bonnes sommes amassées, et la belle Thérèse, sa fille, loin de manquer de jupes, portait des toilettes splendides, roulait carrosse et venait, disait-on, d'acheter un hôtel.

Chizac-le-Riche et Guillaume Badin étaient du reste assez bons amis jusqu'à voir. Chizac suivait d'un œil protecteur et un peu sceptique la veine de son ancien vassal, et Badin, enflé par le succès, l'engageait sans cesse à mettre dans son jeu, mais Chizac s'y refusait toujours.

Il en résultait que Chizac perdait à peu près chaque fois que

Guillaume gagnait.

Mais ce Chizac était de Bordeaux, et je ne sais comment l'argent perdu retrouvait toujours le chemin de sa poche.

XVI

Où Fortune fait la connaissance de Guillaume Badin et de Chizac-le-Riche

Au moment où Fortune parvenait à s'introduire dans la salle commune du cabaret des Trois-Singes, l'animation était au comble. Un quintuple rang de joueurs entourait une table revêtue d'un tapis abondamment souillé où se taillait un lansquenet.

Cette table occupait à peu près le milieu de la salle.

À droite, en entrant, une seconde table, où deux joueurs seulement faisaient une partie de piquet royal, était aussi fort entourée.

Le reste de la salle était rempli par des guéridons où les hommes et les femmes buvaient pêle-mêle, jouant, riant et causant.

Les femmes étaient généralement jeunes et jolies, jouaient gros jeu et payaient argent comptant.

Partout où plus de vingt créatures humaines se trouvent réunies, il y a un roi et il y a le compétiteur de ce roi : l'homme que le roi étouffera ou qui détrônera le roi. Le roi était ici l'un des joueurs de piquet, gros homme d'une quarantaine d'années, constitué fortement, très brun, très pâle, un peu triste et affecté de cette névrose qu'on appelait alors des vapeurs, et qui depuis change de nom toutes les semaines.

C'était, ne vous y trompez point, le sieur Chizac en personne, Chizac-le-Riche, qui avait abandonné les tripots Quincampoix pour favoriser sa rue.

Le compétiteur du roi était assis au centre de la table du lansquenet. Il tenait la banque en ce moment, et avait devant lui une véritable montagne d'or, d'actions et de bons de caisse.

C'était un homme entre deux âges et qui penchait déjà vers la vieillesse. Ses cheveux rares bouclaient autour d'un grand front : les musiciens ont souvent de ces têtes en apparence puissantes, mais qui dégagent je ne sais quelle impression vide et vague. Ce grand front parlait de génie ou de folie.

Les yeux étaient creux, les prunelles étincelantes ; il y avait des plaques rouges aux pommettes des joues.

Le premier mot que Fortune entendit prononcer fut le nom de cet homme.

– Neuf fois ! répétait-on à la ronde, Guillaume Badin a passé neuf fois !

Et Guillaume ajouta lui-même d'une voix fiévreuse, en s'adressant à Chizac-le-Riche :

– Entendez-vous ? Patron, neuf fois ! Mettez dans mon jeu, j'ai de la corde de pendu...

Chizac répondit bonnement à travers la foule qui écoutait :

– Profitez de votre veine, moi voisin : moi, j'ai perdu aujourd'hui une vingtaine de mille livres et j'ai bien peur de finir à l'hôpital.

Il y eut dans le cabaret un bruyant éclat de rire.

– Entends-tu, Guillaume, crièrent les perdants, Chizac se moque de toi ! Tu pourrais bien gagner pendant douze mois ; au bout de l'an, Chizac te mettrait encore dans sa poche !

Guillaume Badin donna un coup de poing sur la table.

– Faites votre jeu, dit-il brusquement, il y a 6 400 louis. Rira bien qui rira le dernier.

– Je fais un écu, voisin, dit Chizac, pour vous payer ma tasse de café et mon petit verre de liqueur des îles.

– Patron, répliqua Guillaume, voilà qui n'est pas bien, vous arrêtez le jeu.

Et, en effet, c'est à peine si l'on put couvrir une centaine de louis, quoique Fortune eût jeté bravement sur le tapis sa première mise de cent pistoles – pour la dot.

Guillaume Badin tourna ses cartes avec mauvaise humeur en disant :

– Je ne devrais pas jouer pour si peu, mais je suis chez moi et je ne veux mécontenter personne.

La voix placide de Chizac lui répondit encore :

– Voilà quinze jours de cela, voisin, vous auriez vendu votre âme au diable pour ces deux mille quatre cents livres.

– Toi, grommela Badin entre ses dents, avant deux mois d'ici je veux te faire l'aumône.

– Gagné ! s'écria-t-on, encore gagné !

– C'est 6 300 louis que je perds ! fit Badin exaspéré. Allons, 200 louis au jeu !

Fortune attirait déjà cent autres pistoles, quand le roi Chizac se leva et dit :

– Voisin, je fais banco. Il est temps de vous aller coucher.

Il ajouta en mettant 4 800 livres sur la table :

– C'est juste le loyer annuel de votre alcôve.

Quoique ce fut là un bien misérable coup au point de vue de la somme risquée, il se fit un grand mouvement dans la salle ; la cohue des assistants, aussi bien les femmes que les hommes, se massa autour du tapis vert.

D'un geste saccadé, Guillaume Badin fit le jeu.

Cela fut long.

Avant d'amener, il épuisa presque tout un paquet de cartes.

Et l'on disait à la ronde :

– Le roi pour Chizac.

– Le valet pour Guillaume Badin.

– Le roi est bon !

– Le valet vaut de l'or !

Guillaume avait la sueur au front, Chizac souriait.

– Gagné ! cria tout à coup la cohue. Encore gagné !

Guillaume Badin repoussa son siège.

– Hein, patron ? fit-il avec triomphe, je vous avais bien dit de mettre dans mon jeu !

Chizac n'avait point perdu son sourire, mais le tic de sa bouche allait et son sourire tournait un peu à la grimace.

– Il n'y a pas à dire, murmura-t-on dans les groupes, si Chizac y allait de franc jeu comme Guillaume Badin, Guillaume Badin aurait Chizac !

– Patron, dit encore Guillaume, j'ai sommeil et je vais me coucher, selon votre conseil. Suivez le mien : la veine est ici, je vous vends ma banque pour mille pistoles.

– Voici, répondit Chizac, grand merci de votre offre, mais je n'ai plus besoin de gagner pour vivre.

Une voix haute et claire s'éleva qui domina tous les grondements de la salle.

– J'achète la banque, disait-elle.

C'était uniquement notre ami Fortune qui jetait par la fenêtre plus des deux tiers de son avoir, en joueur émérite qu'il était, pour acquérir un peu de fumée.

Guillaume Badin se mit sur ses pieds, regarda Fortune et le salua d'un geste courtois.

– Mon gentilhomme, dit-il, je n'ai jamais eu le plaisir de me rencontrer avec vous, mais je connais mon monde. Ce que l'on vend à celui-ci, on est trop heureux de l'offrir à celui-là. Si vous vouliez accepter ma banque cordialement comme je vous l'offre, je resterais votre débiteur.

Chizac tourna le dos et regagna sa place à la table de piquet. Sa royauté recevait là un rude coup.

Fortune pensait :

– Le père est aussi brave que la fille est belle.

– La mule du pape ! reprit-il tout haut, je vous tiens pour un galant homme, maître Badin, et j'accepte votre offre.

– J'en ai tant vu passer ! disait cependant Chizac qui avait repris sa place au milieu de ses fidèles. Quand ils sont au sommet de la roue, ils font les insolents, mais la roue tourne, la roue qui les a pris par terre et qui les y remet.

Guillaume Badin avait étalé son mouchoir sur la table de lansquenet ; il mettait dedans à poignées son argent et ses valeurs.

– Voilà une soirée de cent mille écus pour le moins autour de lui.

Guillaume noua les quatre coins de son mouchoir.

– À l'Épée-de-Bois, répondit-il, j'aurais gagné plus d'un million ; mais patience : le cabaret des Trois-Singes n'a encore que quinze jours de vie. Dans quinze autres jours il aura mis bas toutes les concurrences.

– Et seras-tu encore le maître des Trois-Singes dans quinze jours, Guillaume-la-Viole ? demanda une voix de femme. Ta fille a perdu la tête et tu n'as jamais eu de cervelle.

La voix appartenait à une grosse bourgeoise chargée de falbalas, qui pouvait compter une cinquantaine d'années et qui trinquait avec un garde-française de vingt-cinq ans.

– Tiens ! fit-on de toutes parts, c'est la marquise de la Casserole. Elle a changé son canonnier !

La marquise de la Casserole jouissait d'une certaine renommée. Elle avait été la cuisinière du traitant Bas-froid de Montmaur ; mais au lieu de jouer à la grande dame comme la plupart des servantes enrichies, qui donnaient le spectacle aux enfants de la rue et se ruinaient en quelques semaines, elle avait placé son gain solidement et n'employait que son revenu à traiter les deux seuls régiments qui eussent le don de lui plaire : les canonniers et les gardes-françaises.

L'apostrophe risquée par la marquise de la Casserole atteignit un certain Chizac-le-Riche, mais celui-ci était véritablement bon prince ; il répondit lui-même :

– Guillaume Badin se formera. C'est encore un enfant, quoiqu'il ait la tête grise.

– Merci, patron, dit l'ancienne basse de viole d'un ton de bonne humeur.

Il souleva en même temps son paquet pour débarrasser le tapis, car les joueurs commençaient à s'impatienter autour de la table.

– Mes enfants, dit Guillaume Badin, dont les yeux étaient gros de sommeil, car il y avait plus de douze heures qu'il jouait sans désemparer, continuez votre partie. Les garçons de mon cabaret des Trois-Singes ont le mot et doivent, comme c'est la coutume, ne rien refuser aux joueurs décavés. C'est bien le moins qu'on soupe avant d'aller à la rivière : donc, bon vin et bonne chère gratis, à discrétion, pour tous ceux qui n'auront plus une pistole en poche. Amusez-vous comme des anges, et à demain matin.

En se dirigeant vers la porte il ajouta :

– Bonsoir, patron, sans rancune.

Et Chizac répondit :

– Sans rancune, Guillaume.

Après avoir franchi le seuil de son cabaret des Trois-Singes,

Guillaume Badin n'eut pas beaucoup de route à faire pour gagner sa chambre à coucher : il lui suffit de traverser la rue étroite en directe ligne.

Juste en face du cabaret se trouvait un battant de chêne si bas qu'il ressemblait à l'entrée d'une cave. Guillaume introduisit une clé dans la serrure abondamment rouillée et le battant tourna sur ses gonds en grinçant.

Guillaume avait à la main une petite lanterne qu'il plaça sur un billot, à côté du misérable lit de sangle qui lui servait de couche.

Ce trou, qu'il payait à raison de 400 livres par mois, n`avait pas d'autres meubles que le billot et le grabat.

Dans le quartier Quincampoix, à l'époque où nous sommes, tous les loyers atteignaient des proportions pareilles.

Le luxe ne pénétrait point de ce côté. C'était un champ de bataille. On prenait son luxe ailleurs, un luxe effréné parfois, mais ici, à la guerre comme à la guerre.

D'ailleurs la richesse était tombée à l'improviste et comme une douche sur les épaules de ce pauvre Guillaume Badin. Il en était encore tout ahuri et n'avait pas eu le temps de s'acheter une chaise.

Il mit son mouchoir, qui contenait une fortune, sur un tas d'or et de valeurs placés entre le billot et le lit, par terre, puis il se jeta sur son lit tout habillé après avoir éteint la lanterne.

Trois minutes après il ronflait...

Dans le cabaret, le jeu avait repris ainsi que les libations ; il était encore de bonne heure, et la cohue tendait plutôt à s'accroître qu'à diminuer.

Fortune tenait la banque.

Fortune avait son étoile ; le lecteur n'a pas pu concevoir l'ombre d'un doute sur le résultat de la partie : les gens qui ont une étoile perdent toujours.

Le métier de leur étoile est de les relever quand ils tombent et de jeter une botte de paille entre eux et le pavé qui leur casserait le cou.

Mais la veine de Guillaume Badin était si robuste qu'elle commença par combattre l'étoile de notre cavalier. Son point de départ était 400 louis, somme égale à la dernière rafle de Guillaume ;

il gagna cinq ou six fois de suite, et, comme il était superbe joueur, la galerie donna assez bien.

La marquise de la Casserole jeta sur le tapis une centaine d'écus, en regrettant tout haut que ce beau fils n'appartînt pas à l'un de ses deux régiments.

À la sixième passe, malgré quelques défaillances de la part des pontes qui s'effrayaient de la veine, Fortune avait devant lui environ 140 000 livres.

C'était une dot, une pauvre dot à la vérité pour la cousine d'un roi, mais enfin c'était une dot que plus d'un gentilhomme honnête et modeste eût acceptée.

Fortune songeait à cela pendant que le jeu se faisait lentement et petitement devant lui.

Il se disait, en voyant les sommes que ses adversaires déposaient comme à regret sur le tapis :

– Si seulement on me tient une soixante de mille livres, je gagne et je m'en vais.

Il avait réglé après mûre réflexion la dot de cette jeune fille si belle et si pâle, Mlle de Bourbon, à la somme de 200 000 livres.

Une bouffée de sagesse avait passé dans sa tête folle ; une fois gagné ce dernier coup, il était bien déterminé à ne point abuser de la veine et à quitter la place.

Mais le jeu ne se faisait pas.

– Il y a vingt-cinq mille livres, dit un ponte impatient ; on ne fera rien de plus ; allez, pour vingt-cinq mille livres.

En ce moment, Chizac-le-Riche se levait de son fauteuil, le seul qui fût dans le cabaret, et annonçait l'intention de se retirer.

C'était maintenant un homme sage.

Selon son impression, il n'avait plus besoin de gagner pour vivre, et il dormait ses grasses nuits.

En se dirigeant vers la porte, escorté par ses vassaux respectueux, il arriva en face du tapis vert et s'arrêta pour jeter à la partie un regard insouciant.

Plus d'un parmi nos lecteurs aura pu s'étonner de ce que cette ressemblance, si féconde jusqu'ici en quiproquos et en aventures, la ressemblance de Fortune avec un grand seigneur qui était la coqueluche de Paris, eût cessé tout à coup de produire ses effets ordinaires. Personne, depuis l'entrée de Fortune au cabaret des Trois-Singes, n'avait manifesté à son aspect la moindre surprise. C'est que les joueurs forment un peuple à part, qui ne voit rien en dehors du jeu, et qui, en dehors du jeu, ne connaît rien.

Les yeux de Fortune et ceux de Chizac se rencontrèrent ou plutôt se choquèrent. Chizac trouva peut-être insolente la beauté de ce jeune homme dont le regard franc et hardi ne se baissait point devant le sien.

– Faites-vous le jeu, bonhomme ? demanda-t-il d'un accent provocant.

Il y eut dans la salle commune un murmure scandalisé que coupèrent quelques rires.

Chizac ouvrit tout grands ses yeux mornes et prononça ce seul mot :

– Banco !

XVII

Où Fortune porte jusqu'à cent mille livres la dot de Mlle Aldée

Les autres joueurs retirèrent leurs mises, comme c'est loi, pendant que le Riche, ouvrant son portefeuille déposait cent quarante mille livres sur le tapis.

– Pauvre poulet ! dit l'ancienne cuisinière.

Fortune pensait :

– À ce jeu, le futur de Mlle Aldée gagne juste huit mille pistoles.

Il tourna et le coup fut joué en quatre cartes.

– Perdu ! la veine est morte !

Ce fut un grand cri parce que c'était un grand événement.

Fortune resta étourdi comme si un violent coup de poing lui eût touché le crâne.

Il n'avait pas même songé à la possibilité d'un tel revers.

Sa physionomie était à la fois si piteuse et si cornique qu'un éclat de rire unanime emplit la salle.

– Allons, lui dit son voisin de gauche, passez les cartes.

Fortune obéit machinalement.

– Poussez-moi votre banque, s'il vous plaît, dit à son tour Chizac-le-Riche avec une complète indifférence.

Fortune obéit encore.

Chizac mit les billets dans son carnet, l'or dans sa poche, et poursuivit sa route vers la porte.

Dans la salle on disait :

– Il n'est pas fini, le Chizac.

– Il a encore un bout de veine quand Guillaume n'est pas là.

– Mais Guillaume le tient, sarpejeu !

Ce fut le dernier mot entendu par le Riche au moment où il mettait le pied sur le pavé de la rue de Cinq-Diamants.

Au lieu de se diriger devant lui comme avait fait Guillaume pour gagner son trou, il obliqua un peu sur la gauche et atteignit au bout de quelques pas, toujours suivi par un groupe nombreux de fidèles, une haute et large porte cochère.

Les vassaux de Chizac le saluèrent en cérémonie et lui souhaitèrent la bonne nuit.

– Un joli coup que vous avez fait là pour finir, fut-il dit parmi les fidèles.

Chizac répondit, au moment où la porte se refermait :

– Une goutte d'eau dans la rivière !

Le jeu se poursuivait cependant au cabaret des Trois-Singes comme si de rien n'eût été.

Une fois passé le premier étourdissement de sa mésaventure, Fortune avait repris son assiette ; il prit dans sa poche le restant de ses pistoles qui formait un bien petit tas et les compta avec un soin minutieux. Sa blessure à la poitrine le piquait et il avait du feu sous le front.

– La mule du pape ! murmura-t-il, si je veux doter la pauvre demoiselle, il faudra désormais jouer serré. Ce lourd coquin m'a plumé de près, et me voici, ou peu s'en faut, comme si je n'avais point fait mon voyage d'Espagne !

La tranche de ce bon pâté que Muguette avait en réserve pour Mme la maréchale était déjà bien loin. Fortune aurait soupé volontiers, mais il ne voulait point abandonner sa place où la banque devait revenir tôt ou tard.

Il appela un des nombreux valets qui circulaient dans la foule et lui dit :

– Mon fils, je n'ai pas pu avoir d'explication avec le sieur Guillaume Badin, ton maître, qui s'est conduit envers moi comme un gentilhomme... et j'ai remarqué souvent que les poètes, les peintres et les musiciens sont des manières de gentilshommes en dépit de la naissance. J'ai des affaires avec le sieur Badin et je suis presque de sa famille. En conséquence, tu vas m'apporter ici, sur la table où l'on joue, un flacon de claret et une volaille froide avec un chanteau de pain tendre, une fourchette et un couteau.

– Je ne gênerai personne, ajouta-t-il en élevant un peu la voix ; mais tout à l'heure il y a eu des braves gens qui se sont permis de rire quand j'ai perdu mon coup de 280 000 livres. S'il leur arrivait de rire encore, ou de se plaindre, ou de n'être pas enchantés d'avoir l'honneur de ma compagnie, nous ferions, ces braves gens et moi, plus ample connaissance.

Pendant qu'il parlait, son regard brillant faisait le tour de l'assemblée. Tout le monde se tut, excepté la marquise de la Casserole qui soupira :

– Il y a de jolis cœurs dans mes deux régiments, mais à celui-là le coq ! c'est un amour.

Le valet apporta la volaille froide, la bouteille de claret, le chanteau de pain, le couteau et la fourchette.

Fortune arrangea cela devant lui méthodiquement et se mit à manger avec le superbe appétit que la Providence lui avait octroyé. Non seulement personne ne se moqua de lui, mais on avait envie de l'applaudir.

La volaille était dodue et le chanteau épais ; avant d'en voir la fin, Fortune rappela trois fois le valet pour remplir la bouteille vide.

Quand la volaille fut dépêchée, il lui restait encore un peu de claret. Il demanda du fromage pour achever sa bouteille, et requit une autre bouteille pour achever son fromage.

La banque allait pendant cela, faisait son chemin autour de la table. L'or, incessamment remué, chantait. Fortune, ayant décidément fini de souper, appela le valet d'une voix retentissante et fit desservir, après quoi il dit :

– Ce Chizac, que Dieu confonde, a parlé de café et de liqueurs des îles. Cela complète agréablement un repas. Que le café soit chaud et que la burette de liqueurs ne soit pas entamée.

« Où en sommes-nous ? reprit-il en s'adressant aux joueurs. Le claret de maître Guillaume Badin n'est en vérité point mauvais, et je me sens tout gaillard. Je crois que nous pourrons porter la dot à cent mille écus.

– Quelle dot ? demandèrent plusieurs voix, car il avait excité l'attention générale.

– Ce sont, répondit Fortune, des affaires privées qui ne vous regardent point.

Les quatre bouteilles de claret commençaient à fumer dans sa tête. Le valet lui apporta en ce moment sa topette de liqueurs. Il salua gravement à la ronde et dit en levant son verre :

– Je bois à la santé de tous ceux qui vont se cotiser ici pour faire la dot de la jeune demoiselle !

« Où en étais-je ? reprit-il après avoir bu, la liqueur de maître Guillaume est comme son vin fort agréable. J'en étais à chanter les vertus de cette chère enfant ; il n'y a pas de chérubin au ciel qui soit plus blanc qu'elle : mais vous savez, nos roués ont le diable au corps, et j'en sais un surtout à qui personne ne résiste. Il est beau, ce noble coquin, à triple carillon, plus beau qu'Adonis, plus beau qu'Endymion, plus beau que le beau Narcisse, et vous pouvez bien en juger puisqu'il me ressemble trait pour trait !

Les vrais joueurs avaient cessé depuis longtemps de suivre ce long discours, mais la galerie était tout oreilles.

– Corbac ! reprit Fortune en se versant à boire, qu'est-ce que cela vous fait ? vous êtes trop curieux, mes maîtres ! Moi, je ne veux pas vous dire son nom : elle est Bourbon, par la morbleu ! elle est Albret ! elle est Navarre ! non point par bâtardise comme les Vendômes ou les petits de la Montespan, mais net et droit comme Henri IV sur le Pont-Neuf ! Et la voilà toute pâle, à cause de ce duc dont je romprai les os à la première occasion, c'est sûr ! La petite Muguette n'a pas su me dire le fin mot. C'est celle-là qui est un bijou ! Ne parlons pas d'elle plus qu'il ne faut, voulez-vous, messieurs ? Mais pour en revenir à l'autre, à la cousine du roi, je suis fin comme l'ambre, et j'ai bien deviné pourquoi elle passe son temps à la fenêtre qui regarde les fossés de la Bastille !

Il parlait avec une extrême animation, comme si tous les gens qui l'entouraient l'eussent contredit à la fois, mais son voisin de droite ayant prononcé ces mots :

– La banque est à vous, la prenez-vous ?

– Vous aurez beau m'interroger, dit-il, vous ne saurez pas le premier mot de l'histoire. Je veux la marier, parce que c'est mon idée ; personne n'a rien à y voir. Je mets cent pistoles, et je vous préviens que si l'on tient mon pari jusqu'à la huitième passe, je m'en irai après avoir gagné, me contentant ainsi de 250 000 livres.

Il tourna ses cartes et gagna.

– Deux cents pistoles, dit-il.

Il gagna encore.

Et tout autour de la table on commençait à murmurer :

- C'est la place qui est bonne, la place de Guillaume Badin.

Il pouvait être en ce moment dix heures du soir. Un carrosse attelé de quatre chevaux qui contenait deux dames en brillante toilette et deux pimpants seigneurs s'arrêta au coin des rues Quincampoix et Aubry-le-Boucher.

Il n'y avait plus personne sur le pavé. Tout le monde avait trouvé place dans les cabarets qui regorgeaient et hurlaient.

Un des laquais du beau carrosse descendit, entra dans la rue des Cinq-Diamants et ouvrit la porte des Trois-Singes.

L'instant d'après il revint et dit à l'une des dames qui se penchait à la portière du carrosse :

- Maître Guillaume Badin est allé se mettre au lit !

- Ouvrez la portière, répondit la dame.

Le valet obéit ; la dame mit pied à terre.

Aux lueurs douteuses qui tombaient de la lanterne des Trois-Singes, vous eussiez reconnu la belle Thérèse Badin, qui portait un costume de bal et dont la parure était éblouissante.

Ses pieds charmants effleurèrent la pointe des pavés, et, au lieu de se diriger vers le cabaret, elle gagna la porte basse derrière laquelle dormait maître Guillaume Badin.

Elle frappa, mais c'est à peine si le bois massif résonnait sous son doigt mignon. Il fallut employer le manche de l'éventail.

- Qui est là ? demanda une voix endormie.

- C'est moi, père, répondit Thérèse.

- Ah ! ah ! ramette, dit la voix, nous faisons de jolies affaires, et tu seras plus riche qu'une fille de régent.

- Père chéri, dit Thérèse, je viens te chercher. Ce n'est pas le tout d'être riche, il faut se pousser à la cour. Tu sais bien ce que je veux faire de toi.

La voix répliqua :

- Tu es folle !

– Non, dit Thérèse, je ne suis pas folle, et je t'aime tant, mon cher bon père ! Voilà une grande révolution qui se prépare et qui va éclater comme la foudre, car nous avons des nouvelles de l'Espagne, cher père, et aussi de la Bretagne, des nouvelles qui sont arrivées à ton adresse, puisque je te mets toujours en avant.

– Tu me feras pendre, murmura Badin. Voilà le plus sûr.

– Ouvre-moi.

– Je dors... et j'irai t'embrasser demain matin, sans faute. Bonsoir, minette.

– Père, mon amour de père, continua Thérèse d'une voix suppliante, il y a petit cercle cette nuit à l'Arsenal ; viens, sous prétexte de nous faire danser ; on t'attend. La sœur d'Apollon, qui s'y connaît si bien, dit que tu as un front de ministre ! Et quand même tu ne serais pas gouverneur de province ou même intendant royal !... J'ai des habits pour toi dans le carrosse, et tu feras ta toilette chez l'abbé Genest, dont le logis est sur la route. Il y a une basse de viole chez l'abbé. Viens-tu ?

Elle se tut pour attendre la réponse.

La réponse fut un ronflement sonore.

– Adieu, père chéri, dit Thérèse tristement, je t'aime tant que je te pardonne ; mais tu manques une belle occasion.

Elle remonta en voiture et cria au cocher :

– À l'Arsenal !

Le carrosse partit au trot de ses quatre beaux chevaux.

Onze heures sonnèrent à l'église du Sépulcre, dont le parvis s'ouvrait encore à l'angle du marché des Innocents.

On commença d'entendre dans cette direction les charrettes des gens de la campagne qui amenaient les approvisionnements de Paris.

Puis le clocher du Sépulcre sonna minuit.

Il y eut un mouvement passager ; les portes des divers tripots s'ouvrirent et se refermèrent ; un instant, la rue Quincampoix s'encombra. C'était la partie bourgeoise des joueurs, les gens mariés, les pères de famille qui regagnaient le domicile conjugal, gémissant sur leur perte ou célébrant leur gain.

Après leur départ, les repaires devinrent moins bruyants, on devinait que le jeu s'acharnait plus sérieux et plus sombre.

Vers une heure du matin, la rue Quincampoix était complètement solitaire et presque muette.

Un homme sortit de l'Épée-de-Bois ; un grand chien le suivait, quêtant à droite et à gauche.

L'homme regarda tout autour de lui avec une certaine inquiétude, siffla son chien qui se mit presque entre ses jambes, et descendit la rue en tenant prudemment le milieu de la chaussée.

Il boitait de la jambe droite et contenait à deux mains les poches de son pourpoint qui semblaient abondamment remplies.

– C'est étonnant, se disait-il en surveillant les portes à mesure qu'il passait, l'ami Fortune n'est pas venu me rejoindre. Demain j'irai voir un peu le nouveau cabaret de mon oncle Chizac. Vertubleu ! si la chance m'est fidèle, mon oncle Chizac ne sera pas longtemps le seul riche de la famille !

Il paraît que ce brave La Pistole avait fait une honnête rafle, cette nuit, à l'Épée-de-Bois.

Comme il passait entre les Trois-Singes et la chambre à coucher de Guillaume Badin pour gagner la rue des Lombards, son chien Faraud s'arrêta tout à coup, renifla au vent et s'élança vers la porte basse.

– Ici ! Bonhomme ! dit tout bas La Pistole.

Faraud n'obéit point. Il essaya de mettre son museau entre le lourd battant qui fermait le trou et la pierre du seuil.

– Ici, Faraud !

Mais La Pistole, qui s'était arrêté à son tour, au lieu de poursuivre se mit à écouter.

Un bruit sourd venait du trou, dont La Pistole s'approcha curieusement.

Au moment où il atteignait la porte, un grand soupir se fit entendre qui ressemblait à un râle.

La Pistole saisit son chien par le collier et l'entraîna de force.

– Vois-tu, bonhomme, grommela-t-il, cela ne nous regarde pas, et il n'y a que les fous pour mettre leur nez dans les mauvaises affaires.

À peine avait-il fait quelques pas que la clé grinça dans la serrure à l'intérieur.

La Pistole était si prudent qu'il ne se retourna même pas.

Au contraire, il hâta sa marche, traînant Faraud qui lui résistait et qui grondait.

La porte du trou roula lentement sur ses gonds.

Un homme sortit, la figure cachée par les plis d'un manteau sur lesquels retombait la corne de son chapeau.

Son regard rapide interrogea les alentours, puis il gagna la porte cochère de la maison Chizac.

À cet instant, La Pistole et Faraud passaient sous un réverbère ; le plus prudent jetait de temps en temps un regard en arrière.

La Pistole tourna la tête à demi, et la lueur de la lanterne éclaira son profil.

Un cri de surprise s'étouffa dans la poitrine de l'inconnu qui se blottit contre la muraille.

La Pistole poursuivit sa route et disparut.

L'homme au manteau murmura :

– C'est bien lui !

Il poussa la porte cochère, qui céda à son premier effort, et entra dans la maison de Chizac en ajoutant :

– Lui et son diable de chien !... M'a-t-il reconnu ?... Je donnerais un million pour savoir s'il m'a reconnu !

Il paraît que cet homme au manteau n'était pas pauvre.

Le silence revint dans la rue.

Un quart d'heure après un grand bruit de bagarre s'éleva dans la salle commune des Trois-Singes, dont la porte s'ouvrit avec fracas pour donner passage à un vivant paquet qui vint tomber dans le ruisseau.

C'était notre ami Fortune qu'on jetait dehors, ivre comme un cent-suisse.

Il se releva sans trop de rancune et tâcha de retrouver l'aplomb de ses jambes.

– Corbac ! gronda-t-il, les drôles étaient vingt contre un, l'honneur est sauf.

Puis, frappant sur ses goussets complètement vides :

– Mon étoile dormait, dit-il ; une autre fois je ferai mieux. Mais je voudrais bien savoir où je vais coucher cette nuit !

La porte de Guillaume Badin était à deux pas de lui et l'homme au manteau l'avait entrouverte.

Fortune entra et demanda :

– Y a-t-il quelqu'un ici ?

Personne ne répondit.

Fortune tâta les murailles et arriva jusqu'au lit.

– La mule du pape ! dit-il en s'y couchant tranquillement, mon étoile est éveillée, et voilà une délicate attention de sa part !

L'instant d'après il comptait dans le tablier de Muguette, en rêve, la dot de la cousine du roi qu'il venait pourtant de perdre jusqu'au dernier écu.

Les rêves n'y vont pas par quatre chemins : la dot était de cinq cent mille livres.

XVIII

Où Fortune a fait de jolis rêves et un fâcheux réveil

C'était bien ce Fortune, le plus heureux cavalier qui fût sous la voûte du firmament. Tout lui arrivait toujours à point : il pouvait courir comme un cerf, malgré sa jambe foulée, et on avait beau le poignarder, il dévorait des tranches de pâté avec un appétit de prince. Un autre, en sortant du tripot les poches vides et retournées, à cette heure de la nuit, aurait été obligé de dormir sur la borne, mais lui, pas du tout ! un mur s'était ouvert devant ses pas comme s'il eût possédé la baguette d'une fée, et un lit tout chaud s'était offert à lui.

Nous le disons comme cela était : un lit tout chaud. La dernière sensation de Fortune, avant de s'endormir, lui fut fournie par le matelas tiède, et il pensa :

– On jurerait que je remplace quelqu'un sur cette couche !

La nuit précédente, on s'en souvient, il n'avait pas fermé l'œil. Le sommeil ne pouvait pas se faire attendre.

Le claret et la liqueur des îles aidant, le dieu qui préside aux songes heureux, ouvrit pour lui la porte d'ivoire. Il vit son étoile au ciel plus large qu'une assiette et lançant des rayons qui réjouissaient le cœur, il baigna ses mains bienfaisantes dans l'or qui devait doter cette pauvre Aldée et reçut avec des larmes d'attendrissement les actions de grâces de Muguette.

Puis le vent tourna, le vent fantasque des rêves. À cause de ses deux blessures qu'il avait traitées sans façon, il y avait bien un peu de fièvre dans son fait. L'ambition le prit ; il laissa là, quitte à y revenir plus tard, la maison de la rue des Tournelles où Muguette, cet ange souriant, accomplissait son modeste miracle de dévouement ; la conspiration l'appela : c'était son élément, il s'y jeta à corps perdu.

Il entra la tête haute et le poing sur la hanche dans l'hôtel somptueux et meublé de neuf de Thérèse Badin.

Il était là, en vérité, comme chez lui : les laquais le saluaient jusqu'à terre et il prenait le menton des soubrettes, il s'étendait tout botté, avec ses éperons aux talons, sur le satin rose et capitonné des sofas.

Et Thérèse lui disait en plongeant son regard tout au fond de ses yeux :

– Cavalier, mon cher cavalier, c'est bien vous que j'aime. Je ne vous prends pas pour monsieur le duc ; monsieur le duc est un bellâtre qui ne serait pas digne de vous servir en qualité de valet de chambre.

Cela faisait plaisir à Fortune qui embrassait la belle Thérèse en la complimentant sur son goût.

On montait dans le carrosse, dans le fameux carrosse que Fortune avait admiré rue des Bourdonnais ; Fortune s'asseyait sur les coussins moelleux entre Thérèse et la sœur d'Apollon, et Dieu sait comme elles se disputaient ses moindres attentions. Deux haies de populaires, rangées à droite et à gauche, regardaient passer le carrosse et poussaient des vivats, parmi lesquels Fortune distinguait très bien ces paroles mille fois répétées :

– Non, non, ce n'est pas le duc de Richelieu ! c'est ce hardi cavalier qui revient d'Espagne et qui est bien autrement beau que le duc de Richelieu !

On arrivait aux portes de l'Arsenal, et ici, car les rêves sont ainsi faits dans leur bizarrerie, Fortune éprouva un moment d'angoisse en s'apercevant tout à coup qu'il portait encore le costume de compagnon maçon et que sa veste poudreuse mettait du plâtre aux belles robes de ses compagnes.

Mais le vent de l'illusion souffla et Fortune se prit à rire avec pitié.

Ce qu'il prenait pour des haillons de toile était un habit de satin blanc brodé d'or !

La mule du pape ! il portait cela comme un dieu, et les grands seigneurs réunis autour de madame la duchesse du Maine mettaient leurs mains au-devant de leurs yeux pour n'être point éblouis.

La princesse se leva de son trône et tout le monde en fit autant. Elle était de petite taille et même un peu bossue.

Fortune ne la trouva point à son gré, mais il se dit prudemment : « Corbac ! il faut dissimuler car elle sera peut-être demain la régente de France ! »

Quant au prince, fils aîné de Louis XIV et de madame de Montespan, Fortune décida qu'il avait l'air d'une bonne personne et lui adressa un petit signe de tête amical.

– Voici donc, dit la sœur d'Apollon, qui parlait en vers alexandrins, le célèbre cavalier Fortune qui vient nous apporter l'aide de ses conseils et de sa vaillance. Votre Altesse Royale ne saurait lui faire un accueil trop distingué, vraiment !

C'était encore mieux tourné que cela, à cause de la mesure et des rimes.

– Enfin ! s'écria la princesse, qui descendit toutes les marches de son trône, que les jours me semblent longs en attendant ce beau cavalier !

Fortune voulut lui baiser la main, mais elle l'embrassa sur les deux joues, malgré la présence de monsieur le duc du Maine, et lui dit à l'oreille :

– Cavalier, vous êtes la fleur des pois, et je ne sais pas comment ce duc de Richelieu a l'effronterie de se faire passer pour vous.

Il dit bonjour aux trois gentilshommes bretons de la mansarde, et quand on lui demanda quels étaient ses projets, il répondit :

– La mule du pape ! Je ne suis pas embarrassé, j'irai au Palais-Royal, je prendrai monsieur le régent, je le mettrai ficelé comme un paquet dans un carrosse, et je l'emmènerai à la frontière d'Espagne.

Toutes les bougies s'éteignirent comme si l'ouragan eût passé dans ce salon éblouissant.

C'était la chambre triste où madame la comtesse de Bourbon dormait, immobile, sur ce lit qui ressemblait à une tombe.

Au pied du lit, Aldée, l'adorable fille, inclinait son front pensif.

Elle était bien plus pâle qu'hier et de grosses larmes roulaient dans ses grands yeux. Elle se leva tout à coup pour courir à la fenêtre qui regardait les sombres murs de la Bastille.

Un homme passait sous un réverbère. Fortune le reconnut du premier coup d'œil, quoiqu'il ne l'eût jamais vu.

– Ça, monsieur de Richelieu, lui dit-il, vous êtes libre de tuer les autres femmes, mais Mlle de Bourbon est sous ma protection !

– Qui est ce croquant ? demanda le duc.

Les épées sautèrent hors du fourreau et l'on se battit sous le réverbère.

Corbac ! Ce duc à l'eau de rose n'était pas de poids contre le cavalier Fortune. Il rompait à faire compassion, et Fortune allait lui passer son épée à travers le corps, lorsqu'une manière de fantôme se mit entre eux deux.

C'était un homme de grande taille, habillé de sombre, qui avait des cheveux blancs et portait le harnais à la mode sous le règne du feu roi.

Fortune recula.

Il avait reconnu en lui ce vieux seigneur, le maître du château où il avait passé son enfance, celui qui l'embrassait parfois quand ils étaient tous deux seuls.

Chacun a pu avoir ce rêve qui consiste à se dire : « J'ai dormi jusqu'à cette heure, mais à présent me voici bien éveillé. » Ce rêve vint à Fortune après tout les autres. Il songea qu'il rouvrait les yeux après une nuit agitée et qu'il regardait tout autour de lui, se souvenant vaguement des illusions folles qui avaient bercé son sommeil. Ce nouveau rêve était aussi triste, aussi morne, que les autres avaient été brillants ou violents.

Fortune rêva que son premier regard rencontrait les murailles humides d'une sorte de cave où il n'y avait rien, sinon le grabat où il était étendu et un billot de bois brut sur lequel reposait une lanterne éteinte.

Le jour venait gris et avare par l'ouverture d'une porte basse entrebâillée.

Au-delà de cette porte on entendait des bruits sourds d'où s'échappaient quelques paroles distinctes.

On est allé chercher le juge, disaient quelques voix, le juge et le commissaire.

D'autres voix répondaient :

– L'assassin est là dans le trou, il dort.

– Il dort ! se récriait-on.

Et d'autres encore répondaient :

– Il était ivre quand il a commis le crime.

Fortune écoutait sans comprendre, mais ses yeux qui s'habituaient à l'obscurité destinèrent en ce moment une masse confuse qui était sur le sol à côté du billot.

En même temps, il eut pleinement conscience de ce fait : l'engourdissement qui le tenait n'était plus le sommeil et ce qu'il voyait n'était pas un rêve.

Fortune sauta hors du lit.

Il venait de reconnaître dans la masse inerte qui était auprès du billot le cadavre d'un homme étendu la face contre terre.

De l'autre côté de la porte on disait :

– Il est temps d'en finir avec ces assassinats !

– Cette fois la justice va faire un exemple.

Sans réfléchir et à tout hasard, Fortune tira son épée pour s'élancer vers la porte qu'il ouvrit.

Il se trouva en face d'un rassemblement assez nombreux qui encombrait la rue étroite devant le cabaret des Trois-Singes.

– Le voilà ! le voilà ! s'écria-t-on de toutes parts, c'est l'assassin !

En même temps, les pointes de quatre hallebardes menacèrent sa poitrine, tandis que la voix d'un archer disait :

– Arrière ! ou vous êtes mort. Nous gardons cette porte de par le roi !

XIX

Où Thérèse Badin promène son carrosse neuf et sa toilette de bal

Il était environ six heures du matin et il y avait plus d'une heure que les curieux attendaient là, les pieds dans la boue, l'arrivée de la justice.

Ils auraient tout aussi bien attendu deux jours. Paris a une patience féroce quand il s'agit de certains spectacles gratis, de certains drames qui ne sont pas joués par des comédiens et où le sang répandu est du vrai sang, liquide et rouge.

Il y avait ici du sang à deux pas et un homme poignardé.

L'heure pouvait s'écouler, les spectateurs gardaient leurs places.

Un enfant arriva en courant du côté de la rue des Lombards.

– La Badin ! la Thérèse ! s'écria-t-il du plus loin qu'il put se faire entendre. Elle est là-bas, dans son carrosse, toute couverte de perles et de satin, avec des gentilshommes et des dames. Elle rit comme une folle.

Il y eut une émotion dans la foule. Les uns étaient en colère, les autres avaient pitié.

– Vient-elle par ici ? demanda-t-on.

– Non, répondit l'enfant, son carrosse suit le quai pour aller à sa maison de la rue des Saints-Pères.

Quelques voix murmurèrent :

– Elle ne sait rien encore, la pauvre malheureuse !

Mais d'autres grondèrent :

– Si elle n'avait point laissé son père dans ce trou pendant qu'elle dansait là-bas avec des gens au-dessus d'elle, le malheur ne serait pas arrivé.

Quelques intrépides se détachèrent, conduits par l'enfant que gonflait la vanité naïve des porteurs de nouvelles.

En chemin, le groupe se grossit et fit une boule de neige ; car tous ceux qui passaient étaient pris à la glu par cette nouvelle : le meurtre de Guillaume Badin, maître du cabaret des Cinq-Diamants et anciennement première basse de viole à l'Opéra.

Chacun voulait savoir les détails, qui étaient curieux ; maître Guillaume avait gagné cent mille écus la nuit précédente et son assassin était un jeune garçon, beau comme l'amour, qui se nommait le cavalier Fortune.

Quand le groupe parti de la rue des Cinq-Diamants arriva au quai, entre la rue Saint-Germain-l'Auxerrois et le Louvre, c'était une foule composée de cinq à six cents personnes.

– Belle amie, dit un marquis non sans un léger sarcasme, votre carrosse attire les badauds comme le passage des nouveaux gardes du corps de Mme la duchesse de Berry.

– Un peu plus, ajouta un abbé, ils vont solliciter la permission de dételer vos chevaux afin d'avoir l'honneur de vous traîner en triomphe.

– Raillez-vous, messieurs ? répliqua Thérèse, prête à se défendre contre eux aussi bien que contre la foule, le populaire insulte aujourd'hui ce qu'il adorera demain, et Jeanne d'Arc fut bien honnie avant de voir autour d'elle tout un royaume agenouillé.

– Et certes, ajouta une comtesse derrière son éventail, notre chère Badin vaut bien Jeanne d'Arc !

Thérèse rougit. Pour la première fois peut-être, elle soupçonna le nid de couleuvres qui se cachait pour elle sous tant de roses effeuillées.

Elle avait de l'esprit, elle dit :

– Jeanne d'Arc ne combattait que les Anglais qui étaient des hommes ; moi, je défends notre bien-aimé petit roi contre Philippe et son Dubois, qui sont des monstres !

On applaudit avec ostentation et l'abbé ajouta :

– D'ailleurs, Jeanne d'Arc ne donnait que son sang, et notre Badin a déjà prêté plus de 10 000 louis à Mme la duchesse.

Le rouge qui était sur la joue de Thérèse fut remplacé par une soudaine pâleur.

Et pourtant elle n'avait pas encore remarqué une chose bien étrange : la façon dont la foule se comportait à droite et à gauche du carrosse.

Tous les visages étaient tournés vers Thérèse et tous les yeux la regardaient.

Mais, bien évidemment, ce n'était point sa toilette éblouissante que la foule contemplait en ce moment.

On devinait dans ces mille regards mornes et obstinés, convergeant au même but, je ne sais quelle menace lugubre.

Non point menace de violence, et les nobles dames, compagnes de Thérèse, qui cessaient de rire, avaient tort de trembler, mais menace de malheur.

Les huées attendues ne venaient point ; il y avait dans ce flot qui montait autour du carrosse un silence inexplicable : point de ricanements, point de railleries, point d'insultes.

Mais ce regard fixe de la cohue qui marchait toujours, le regard morne et comme implacable.

Au bout d'une minute le silence contagieux avait envahi l'intérieur du carrosse.

On était parti de l'Arsenal en se promettant de pousser la promenade matinale jusqu'au Cours-la-Reine, mais il y avait désormais un poids sur toutes les poitrines, et quand le carrosse arriva au pont Royal, des dames émirent l'avis de rentrer.

– Que craignez-vous donc ? demanda Thérèse, qui redressa encore une fois sa belle tête hardie.

– Nous avons froid, répondit une comtesse, qui frissonnait en effet.

Et l'abbé ajouta :

– Je n'ai jamais rien vu de pareil. Qu'est-il donc arrivé dans Paris ? Cela ressemble à des funérailles.

Le cocher reçut l'ordre de tourner au pont Royal.

La foule avait envahi déjà toute la longueur du pont, et ce fut entre deux haies muettes que notre troupe, naguère si joyeuse, passa.

Thérèse aussi, désormais, avait froid jusque dans le cœur ; mais comme elle était brave, elle pencha sa tête hors de la portière et, s'adressant au groupe le plus épais, elle demanda :

– Mes amis, pourquoi nous suivez-vous et que nous voulez-vous ?

Les gens du carrosse, hommes et femmes, retinrent leur souffle pour écouter la réponse.

Il n'y eut point de réponse.

Dans le groupe interpellé, les uns baissèrent la tête, les autres détournèrent les yeux.

L'enfant était là, l'enfant qui avait porté la nouvelle et qui en était si fier. Il eut honte, il eut remords, il se cacha au dernier rang.

L'abbé dit tout bas :

– C'est assez dans le caractère de ce coquin de Dubois, et je reconnaîtrais ici volontiers la main de M. Voyer-d'Argenson. On a stipendié cette populace ; nous allons trouver des exempts au coin de la rue des Saints-Pères, et nous coucherons à la Bastille.

Je ne sais pourquoi cette pensée soulagea l'âme de Thérèse. Il y a des pressentiments. La foule n'avait rien dit. Thérèse ne se doutait de rien, et pourtant, dès lors, elle eût été heureuse de n'avoir à redouter que la Bastille.

Mais pourquoi la foule ne parlait-elle point ? Et comment la retrouvons-nous si différente d'elle-même ? Elle avait quitté la rue des Cinq-Diamants, bavarde et le verbe haut. Et pourtant la foule se taisait, elle qui était venue poux crier. C'est qu'elle avait pressenti la foudre. Thérèse et son père étaient sortis du peuple, et il y avait si peu de temps qu'ils en étaient sortis !

On leur en voulait peut-être de leur victoire trop rapide, mais on les connaissait bien et l'on savait comme ils s'aimaient.

– Hier, reprenait-on, elle a payé les dettes de maître Guillaume, dans la cour de son ancienne maison, rue des Bourdonnais.

Et la harengère ajoutait :

– Moi, je l'ai connue toute petite ; c'était un cœur ! Quand maître Badin venait acheter, il l'amenait avec lui en la tenant par la main ; il n'était pas méchant, non ! et au temps où elle devint grandelette, quand on lui disait : Thérèse, avons-nous des amoureux ? elle répondait : je ne me soucie point de cela, je n'aime que mon père.

Si bien qu'au moment où la foule rencontra le carrosse, elle fut prise d'une sorte de respect.

Les rires de Thérèse et de ses compagnons la glacèrent au lieu de l'irriter.

Elle regarda cette jeune femme si brillante, si heureuse, qui tout à l'heure allait sangloter, désespérée.

Chacun se demandait : « Comment l'avertir, la pauvre fille ? » Toutes les poitrines étaient oppressées, et il eût fallu bien peu de chose pour mettre des larmes dans tous les yeux.

Le carrosse tourna l'angle méridional du pont pour prendre le quai Malaquais et gagner la rue des Saints-Pères.

Thérèse se révoltait à la fois contre ses craintes vagues et contre la silencieuse persistance de ce peuple qui l'entourait.

La fièvre la prenait.

Elle provoquait du regard ceux qui marchaient près de la portière et les menaçait de son joli poing fermé en disant :

– Que voulez-vous ? qui êtes-vous ? de quel droit me suivez-vous ?

L'expression de pitié s'accusait de plus en plus dans tous les regards.

Cela la rendait folle.

Au moment où le carrosse s'arrêtait enfin devant la porte de son hôtel, elle sauta sur le pavé sans prendre souci de ses nobles compagnons et s'élança au plus épais du rassemblement.

Le cercle se referma sur elle. On la regardait toujours.

– Me parlerez-vous ! s'écria-t-elle exaspérée en saisissant au collet le premier homme qui se trouva à portée de sa main.

L'homme essaya de se dégager et balbutia :

– Un autre peut bien vous le dire, moi je n'en ai pas le cœur.

Elle le lâcha pour porter ses deux mains à son front. Un indicible effroi naissait en elle.

– Qu'y a-t-il ? balbutia-t-elle d'une voix étranglée. Mes amis, au nom de Dieu, qu'y a-t-il ?

Dans le grand silence qui suivit cette question, une voix chevrotante et cassée s'éleva.

– Ah ! ah ! disait-elle, la Badin n'est pas fière aujourd'hui, malgré ses perles et son clinquant !

La foule se retourna indignée, mais je ne sais comment celle qui avait parlé parvint à percer le cercle.

C'était une vieille femme à demi-ivre, dont les vêtements souillés tombaient en lambeaux ; une mendiante.

Celles-là sont implacables.

– Pourquoi m'empêchez-vous de parler ? demanda-t-elle, savourant d'avance le mal qu'elle allait faire. Puisque la Badin veut savoir, je vais tout lui dire, moi.

Deux ou trois mains essayèrent de lui fermer la bouche ; elle glissa comme un reptile, laissant ses guenilles entre les doigts crispés, et vint jusqu'à Thérèse, qui chancelait en la regardant.

Leurs yeux se choquèrent ; la pauvresse dit en ricanant :

– Voilà une belle fille ! et qui a sur le corps assez d'argent pour payer le pain de cent familles affamées ! Thérèse Badin, il faut changer de robe pour aller à l'enterrement de ton père.

Les jambes de Thérèse fléchirent et son visage livide se contracta.

La foule indignée se rua sur la mendiante, mais elle se débattit et acheva :

– Pendant que tu dansais, Thérèse Badin, ton père est mort assassiné !

Thérèse poussa un cri déchirant et tomba évanouie entre les bras de ceux qui l'entouraient.

Ceux qui l'entouraient n'étaient ni les deux comtesses, ni la baronne, ni le marquis, ni le vicomte, ni le chevalier, ni l'abbé. Tout ce noble monde avait disparu comme par enchantement.

XX

Où la justice informe contre le cavalier Fortune

L'autre foule, les fidèles, attendait toujours dans la rue des Cinq-Diamants, et sa constance n'avait pas encore été récompensée.

On était allé chercher, deux heures en deçà, le commissaire de police du quartier des Innocents, qui se nommait maître Touchenot, mais ce magistrat avait passé une partie de la nuit à l'Épée-de-Bois pour veiller au maintien du bon ordre et jouer à la bassette.

On avait frappé à la porte de divers juges de la Prévôté du Bailliage et du Présidial, tous séant au Châtelet, et dont les gouvernantes avaient répondu à l'unanimité que leurs maîtres entendaient dormir la grasse matinée.

Les gouvernantes du Bailliage renvoyaient à la Prévôté, les gouvernantes de la Prévôté renvoyaient au Présidial, les gouvernantes du Présidial renvoyaient au Bailliage.

Et cependant la justice avait le temps de prolonger son dernier somme, songeant à mettre ses pantoufles quand le grand soleil passait à travers les carreaux.

Le premier juge qui arriva appartenait à la Prévôté, c'était le sieur Loiseau, suppléant juré de messieurs du Bailliage. Il s'était levé plus matin que les autres pour rendre visite à son compère Chizac-le-Riche, qui lui donnait de bons conseils pour acheter et vendre les actions de la compagnie.

Son arrivée fit grand effet dans la foule, d'autant qu'il était accompagné du sieur Thirou, commis greffier, qui lui servait de secrétaire pour ses petites affaires privées. Le sieur Loiseau et le sieur Thirou traversèrent la foule, qui les gourmandait hautement sur leur retard ; mais au lieu de se diriger vers la porte basse, derrière laquelle étaient le coupable et le corps du délit, ils enfilèrent délibérément la voûte qui conduisait chez Chizac-le-Riche.

Heureusement pour la foule, qui eût risqué d'attendre encore longtemps, Chizac était absent de chez lui. Cet habile homme n'avait point des mœurs de juge ; il se levait de très bonne heure et travaillait assidûment, parce qu'il travaillait pour lui-même, tandis que les juges sont payés pour s'occuper des affaires d'autrui.

C'était lui, c'était Chizac, nous le disons tout de suite quoique nous soyons destinés à en reparler plus tard, qui avait découvert le meurtre du malheureux Guillaume Badin.

Sortant au petit jour, selon son habitude, pour vaquer à ses nombreuses occupations, il avait trouvé la porte de son locataire entrouverte.

Surpris de ce fait qui avait, en vérité, de quoi l'étonner, il avait poussé la porte afin d'avoir des nouvelles de maître Badin.

Ce qu'il vit, nous le savons : un corps mort couché sur le sol, auprès d'un scélérat qui avait poussé l'endurcissement jusqu'à s'étendre sur le lit de sa victime, et qui dormait.

Chizac avait fait alors ce que les juges du Bailliage, de la Prévôté et du Présidial, sans parler du commissaire de police, auraient dû faire : il avait placé quatre de ses valets en sentinelles à la porte du trou, et, courant tout d'un trait au Grand-Châtelet, il était revenu avec main-forte.

À la suite de quoi, toujours courant, il s'était rendu chez M. de Machault, seigneur d'Arnouville, lieutenant général de police, avec qui il avait eu un entretien.

Le valet de chambre de Chizac-le-Riche, après avoir répondu au sieur Loiseau et au sieur Thirou que son maître était sorti, ajouta :

– S'il vous plaît de voir un peu l'affaire Guillaume Badin en attendant le retour de Monsieur, cela vous fera passer le temps.

Le sieur Loiseau et le sieur Thiriou ne demandaient pas mieux. Autant cela qu'autre chose. Ils descendirent et requirent un ou deux archers qui flânaient devant la porte pour que passage convenable leur fût ouvert au milieu de la cohue.

Car la foule allait sans cesse augmentant, ce qui n'empêchait point le cabaret des Trois-Singes de se remplir, ainsi que les divers repaires de la rue Quincampoix.

Arrivés à la porte du trou, le bailli suppléant Loiseau et son greffier Thirou se rencontrèrent avec le sieur Touchenot, commissaire de police, et firent échange de civilités.

Touchenot dit :

– Le vent semble être à la hausse, Messieurs.

– Heu ! heu ! répondit Loiseau, il y a toujours de méchantes nouvelles d'Espagne, savez-vous ?

– Et l'on parle, ajouta Thirou, d'une nouvelle émission d'actions : les cadettes des cadettes. Cela fait une bien nombreuse famille.

Parmi ses amis et connaissances, ce greffier passait pour avoir un esprit d'enfer.

– Nous allons entrer, reprit le bailli, pour voir un peu ce dont il s'agit.

Autour d'eux, la foule frémissait d'impatience.

Les quatre hallebardiers de garde s'écartèrent ; mais avant de livrer passage, ils dirent :

– Il faut prendre garde au gaillard qui est là-dedans ; il est armé.

Aussitôt, le bailli, le greffier et le commissaire opérèrent avec ensemble un mouvement de retraite.

Mais à l'entrée des gens de justice, l'assassin ne bougea pas ; il n'avait pas prononcé une parole. Il se laissa approcher par les archers et hommes de police ; on lui prit son épée sans qu'il opposât de résistance.

Mais deux suppôts, encouragés par cette apparente inertie, ayant saisi avec brutalité ses poignets pour y mettre des menottes, ses bras se détendirent violemment, et les deux agents furent lancés à trois pas.

En même temps, il se leva et d'un brusque mouvement de tête il rejeta ses cheveux en arrière pour regarder devant lui d'un air farouche.

Ceux qui étaient en face de la porte écarquillèrent leurs yeux ; jamais ils n'avaient vu rien de si beau que ce malfaiteur.

Il y eut des femmes qui murmurèrent :

– Le duc de Richelieu n'est que de la Saint-Jean. Cet innocent-là n'avait pas besoin de pécher ; il serait devenu riche rien qu'à se laisser regarder par les dames de la cour.

Fortune prononça d'une voix sourde :

– Je n'ai fait de mal à personne, laissez-moi m'en aller, mes amis.

– Poussez ! ordonna du dehors le bailli-suppléant. Loiseau, je n'ai pas encore déjeuné, on m'attend à la maison. Finissons vite.

Les archers et les exempts obéirent, mais ils n'y allaient pas de très bon cœur.

L'assassin avait des regards égarés qui ne présageait rien de bon.

Et en effet, quoiqu'il n'eût plus d'épée, il se défendit comme un lion.

– Poussez ! poussez ! disait le sieur Loiseau. Mon déjeuner refroidit.

La foule commençait à dire :

– Ils ne l'auront pas ?

Et un vague intérêt naissait en faveur de ce beau jeune homme, seul contre dix, qui malmenait si rondement les gens du roi.

Mais en ce moment un nouveau personnage entra en scène. C'était un homme d'âge moyen, de moyenne taille, carré d'épaules et bâti en force, qui avait l'air d'un bon bourgeois un peu idiot ! Impossible de rencontrer une face ronde plus débonnaire et plus insignifiante, et cependant, quand il parut tout à coup entre le bailli et le commissaire, sans avoir dérangé personne pour passer, il y eut dans la foule un long murmure :

– Maître Bertrand ! disait-on, l'inspecteur Bertrand !

C'était comme une exclamation de pitié, et la pitié se rapportait à ce pauvre bel assassin dont la résistance était désormais inutile.

L'inspecteur Bertrand, malgré son air bonhomme, était, à ce qu'il paraît, de ces gens à qui on ne résiste pas.

En effet, après avoir salué le bailli suppléant d'un signe de tête rustique et reçu d'un air engourdi les instructions de Touchenot, son supérieur, l'inspecteur Bertrand s'introduisit dans le trou, et la bagarre cessa aussitôt.

– Il lui a jeté un lacet aux jambes ! dit-on devant la porte.

– Ce subalterne, ajouta Loiseau, ne paye pas de mine, mais il possède une vulgaire habileté en rapport avec sa situation dans le monde.

– Vous pouvez entrer, Messieurs, annonça l'inspecteur Bertrand, qui montra son sourire benêt à la porte du trou.

– Est-il bien ficelé ? demanda Touchenot.

Bertrand mit ses mains dans ses poches et tourna sur ses talons.

– C'est une brute, murmura le commissaire, mais pour ce métier-là on ne peut pas avoir des membres de Académie... Passez, Monsieur le bailli.

Loiseau hésita, mais les exempts et les archers étaient paisiblement des deux côtés du seuil ; cela lui donna confiance.

– Passez, Monsieur le greffier, ajouta Touchenot.

Le sieur Thirou était un homme de politesse et bonnes manières, qui répondit :

– Je n'en ferai rien, Monsieur le commissaire ; après vous.

Un combat courtois menaçait de s'établir, lorsque la foule ondula du côté de la rue des Lombards. Le nom de Chizac-le-Riche fut prononcé par cent voix à la fois, et le seigneur suzerain des Cinq-Diamants apparut escorté de ses vassaux.

Certes, la cohue avait cruellement attendu, mais le spectacle en valait bien la peine.

Le roi Chizac était un peu pâle ; il avait l'air fatigué. Ses joues bouffies tombaient et les deux poches qui étaient sous ses gros yeux semblaient plus gonflées.

Le sieur Thirou et le sieur Touchenot s'effacèrent avec respect pour lui livrer passage. Chizac eut la bonté de partager entre eux un geste bienveillant.

– Comme c'est aimable à vous ! s'écria le bailli suppléant dès qu'il le vit entrer ; Julien ! Bénard ! Robert ! Voyons, n'importe qui ! qu'on aille chercher un fauteuil pour M. mon ami, qui ne peut pas rester debout, je suppose.

– Une chaise suffira, répondit Chizac ; mais qu'on apporte en même temps de la lumière, car il fait noir ici comme dans un four.

Touchenot dit tout bas au bailli :

– Je vous serais obligé de m'introduire auprès de M. de Chizac.

– Palsambleu ! s'écria Loiseau, qui prit un air de cour, voici M. le commissaire qui veut vous présenter ses devoirs et qui vous appelle M. de Chizac, très cher ! M. le régent vous devrait bien un titre de marquis, car vous faites honneur à notre siècle.

Touchenot se confondait en révérences et murmurait :

– M. le régent y songe sans doute. Ce ne serait que justice. J'ai quelques capitaux improductifs, et les conseils d'un homme de génie...

– Monsieur le commissaire, interrompit Chizac, je suis votre serviteur.

Thirou serra la main de Touchenot.

– Recevez mes félicitations, murmura-t-il. On vous a souri.

Pour sa part, le greffier n'osait même pas parler à Chizac ; il le contemplait d'en bas avec une religieuse vénération.

Ainsi avaient lieu les préliminaires de l'enquête criminelle dans ce réduit où un cadavre gisait à terre, auprès de l'assassin garrotté.

– Si ce n'était montrer trop de familiarité, reprit Touchenot avec une assurance modeste, je demanderais à M. de Chizac ce qu'il pense de cette nouvelle émission de titres faits par la Compagnie. Cela occupe beaucoup le public.

On apportait en ce moment le propre fauteuil dont Chizac se servait au cabaret des Trois-Singes, et une paire de flambeaux allumés.

Les heureux, qui étaient en face de l'entrée pensèrent :

– Quand l'intérieur va être éclairé, nous allons tout voir !

Et, en effet, les flambeaux ayant été posés sur le billot éclairèrent distinctement le meurtrier chargé de liens et sa victime étendue sur le sol, le visage contre terre.

Mais Chizac, ayant pris place dans son fauteuil, ordonna de fermer la porte.

Il y eut des femmes qui pleurèrent au dehors, tant leur désappointement fut amer.

Chizac ajouta :

– Mes chers Messieurs, je n'ai point à vous rappeler quel est ici votre devoir. Je suis venu, parce que j'ai des renseignements à donner, un témoignage à apporter.

– Quel homme ! balbutia le greffier Thirou.

Le bailli Loiseau et Touchenot le commissaire prirent l'attitude de deux écoliers à qui le magister vient d'adresser une réprimande méritée.

Thirou alla plus loin : voyant avec chagrin que les pieds du roi Chizac étaient sur le sol humide, il plia sa houppelande en quatre et en fit un tabouret qu'il déposa délicatement sous les semelles du riche.

XXI

Où Chizac-le-Riche témoigne en faveur de Fortune

– Nous allons, reprit Loiseau timidement et comme s'il eût demandé conseil à Chizac-le-Riche, procéder à l'enquête.

Chizac approuva du bonnet.

Le greffier Thirou vida ses poches, où il y avait tout ce qu'il faut pour écrire, et s'agenouilla près du billot.

– L'examen des lieux, reprit Loiseau en élevant la voix, ne nous prendra pas beaucoup de temps. L'évidence du calme saute aux yeux, et nous avons seulement à constater l'identité de la victime. Monsieur le commissaire, ceci rentre dans vos fonctions.

Touchenot avait déjà fait signe à ses hommes, qui s'approchèrent du cadavre et le relevèrent.

Guillaume Badin avait dû tomber de son haut sur le visage, car ses traits étaient excoriés et meurtris.

Touchenot s'était penché sur lui et l'examinait froidement.

– La figure a été endommagée seulement par la chute, dit-il, je ne vois pas d'autres traces de violences.

Le sieur Loiseau, qui s'était retourné vers Chizac, lui dit tout bas :

– Hier soir, j'ai soupé avec M. l'intendant de Bechameil, entre hommes, bien entendu ; j'ai une vie sage et réglée. Tout le monde était à la hausse, à la hausse des pieds à la tête ! Mais j'ai ouï parler ce matin d'un complot, les princes légitimes se remuent, et M. le régent soupçonne, dit-on, l'ambassadeur d'Espagne. Vous êtes au fait de tout cela ? Est-ce de la baisse ?

Chizac lui imposa silence du geste. Il était très calme ; mais son tic allait et ses yeux ne se tournaient pas du côté du cadavre.

L'inspecteur Bertrand, au contraire, regardait le corps de loin, d'un air indifférent et nigaud.

– Les habits sont intacts, poursuivait Touchenot, sans les souillures résultant de la chute et le trou par où l'épée a passé pour atteindre le cœur.

Tout en parlant, il avait déboutonné la soubreveste de Guillaume Badin et ouvert sa chemise.

Le greffier écrivait.

Il y avait en effet au pourpoint, à la soubreveste et à la chemise un trou presque imperceptible, correspondant à une blessure de même dimension qui n'avait point saigné et qui laissait une trace violâtre au côté gauche de la poitrine, juste à la place du cœur.

Ces énonciations furent dictées à haute voix par le commissaire.

Chizac disait :

– Je connaissais ce malheureux homme ; il était mon locataire et presque mon ami, car on s'attache aux gens à qui l'on fait du bien. Hier soir, je l'ai quitté joyeux et bien portant : personne ne s'étonnera de l'émotion que j'éprouve en le revoyant mort.

– Quel cœur ! murmura Thirou, qui lâcha sa plume pour s'essuyer un œil. Comme il gagne à être connu !

Ce drôle de corps, l'inspecteur Bertrand, se grattait le menton d'un air pacifique.

– L'homme, demanda brusquement Loiseau, qui venait de consulter sa montre, quels sont vos noms et qualités ?

Il s'adressait à Fortune, lequel semblait n'avoir point conscience de ce qui se passait autour de lui.

– Je souffre de l'estomac quand je dérange mes heures, reprit le bailli suppléant avec une certaine énergie. Réveillez-moi ce garçon, et qu'il réponde en deux temps !

La main brutale d'un exempt heurta l'épaule de Fortune.

On lui répéta la question, et il répondit :

– Je m'appelle Raymond.

– Raymond qui ? interrogea encore Loiseau.

Raymond tout court, et l'on m'appelait Fortune, parce que jusqu'à ce jour j'avais eu du bonheur.

Touchenot, qui avait abandonné le corps, revint vers Chizac et lui dit avec un sourire aimable :

– C'est aussi par trop naïf de s'endormir dans le lieu même où l'on a fait le coup. Les nouvelles actions font-elles prime ?

– Ce pauvre Guillaume Badin laisse une fille, répliqua Chizac d'un ton pénétré.

– Une gaillarde ! murmura le commissaire en ricanant.

– Avouez-vous le crime dont vous êtes accusé ? demandait en ce moment Loiseau.

– Je n'ai pas commis de crime, répliqua Fortune avec force ; celui qui est mort avait été bon pour moi.

– J'en suis témoin, prononça tout bas Chizac. Guillaume Badin était le meilleur des hommes.

– Et pourquoi êtes-vous entré ici ? interrogeait toujours Loiseau.

– J'avais bu, répondit Fortune, du vin et des liqueurs en grande quantité.

– Voilà où mène l'ivrognerie ! fit observer Thirou, dont le nez avait quelques rubis.

– Aviez-vous joué ? demanda le juge.

– Oui, répliqua Fortune, qui ajouta de lui-même : Et j'avais tout perdu.

– Il s'enferre, dit Touchenot. Pas fort, ce garçon-là.

Le visage débonnaire de l'inspecteur Bertrand, qui s'était animé un instant, venait de reprendre son somnolent aspect.

– Votre réponse, reprit Loiseau, ne nous dit pas pourquoi vous êtes entré ici. C'est le point capital.

– J'étais à la belle étoile et j'ai trouvé une porte entrouverte.

– Comment n'avez-vous pas plutôt regagné votre auberge ?

– Je n'ai pas d'auberge.

– Alors vous êtes sans feu ni lieu ?

– Quand je suis entré au cabaret des Trois-Singes, j'avais quinze mille livres dans ma poche.

– D'où vous venait cet argent ? demanda vivement Loiseau.

Fortune garda le silence.

– Il s'enferre ! grommela pour la seconde fois Touchenot.

– M'est-il permis de faire une observation ? dit en ce moment Chizac-le-Riche.

La voix de celui-ci avait le privilège de ramener l'attention de l'inspecteur Bertrand, qui ôta les mains de ses poches et se prit à tourner ses pouces.

– Vous avez toujours le droit de parler, Monsieur mon ami, dit Loiseau avec emphase. Nous nous ferons un plaisir de vous écouter.

Chizac reprit :

– On a omis d'adresser à ce jeune homme certaines questions nécessaires. Quelle est sa famille ? Quelle est sa profession ? D'où vient-il ?

– C'est juste, dit Loiseau, mais nous y serions venus.

Et Thirou ajouta du fond de son admiration :

– Quel juge il aurait fait ! Il est propre à tout.

Aux trois questions nouvelles posées par Loiseau, Fortune répondit :

– Je suis soldat ; je ne me connais pas de famille, et j'étais arrivé d'Espagne hier, dans la journée.

– A-t-il au moins quelque répondant ? suggéra Chizac, comme s'il n'eût point voulu interroger lui-même, des relations ? une attache quelconque ?

– Je ne connais, répliqua Fortune, que trois personnes à Paris, à l'exception d'une pauvre noble famille dont je ne veux point dire ici le nom. Ces trois personnes sont l'ancien comédien La Pistole, neveu du sieur Chizac, ici présent...

La figure du millionnaire resta impassible ; sauf les gambades de son tic, qui allaient maintenant de la bouche jusqu'aux yeux.

Bertrand, l'inspecteur, avait autour de ses grosses lèvres un sourire atone.

Fortune poursuivait :

– En second lieu, Mlle Delaunay, dame de la duchesse du Maine, et enfin Thérèse Badin, la fille de celui qui est là.

Il y eut un silence. Le bailli Loiseau consulta de nouveau sa montre.

– Les faits sont clairs comme le jour, dit-il, l'évidence saute aux yeux. Il y a une question qui domine tout : pourquoi est-il entré ici plutôt que d'aller à son auberge ? Un homme est mort d'un coup d'épée, on a trouvé sur le lit de cet homme un étranger porteur d'une épée.

– La voici, dit en ce moment l'inspecteur Bertrand, qui avait quitté sa place contre la muraille et qui tenait l'épée de Fortune dans son fourreau.

Fortune ne se tourna même pas vers l'homme qui portait cet accablant témoignage. Il murmura entre ses dents :

– J'ai été heureux pendant un bon bout de temps ; il paraît que mon étoile se lasse. Si on a l'idée de me pendre, je n'y puis rien, seulement, je suis innocent, je le jure.

– Quand on est innocent, dit Loiseau péremptoirement, on rentre coucher à son auberge.

En même temps il voulut prendre des mains de l'inspecteur Bertrand l'épée qui pouvait servir à quelque mouvement oratoire, mais l'inspecteur la retint et fit sauter la lame hors du fourreau.

– Voici le fer, s'écria Loiseau pour ne pas perdre son mouvement oratoire, le fer qui s'est baigné dans le sang de cet infortuné !

L'inspecteur Bertrand lui coupa la parole en mettant sous son nez tout près de ses yeux myopes, la lame brillante qui gardait le poli intact des choses neuves.

– Elle a été essuyée avec soin, dit le bailli suppléant.

Touchenot secoua la tête. Ce fut Chizac qui déclara, après avoir examiné l'arme :

– Ceci n'a jamais servi.

Bertrand lui adressa un petit signe de tête approbateur et au moment où leurs yeux se rencontraient, le tic de Chizac dansa une véritable sarabande.

– Je ne suis pas un homme d'épée, dit Loiseau dont l'impatience grandissait, je vis honnêtement et j'ai mes heures réglées. Ce n'est pas l'épée qu'on soupçonne, c'est cet aventurier. La plus simple prudence ordonne de le placer sous les verrous. S'il y a doute, nous avons la question ordinaire, cela lui apprendra à coucher hors de son auberge. Ne perdez pas de vue l'auberge.

Pendant qu'il parlait, l'inspecteur s'était approché de Fortune et avait retourné ses poches avec une prestesse extraordinaire.

Il ne dit rien, mais son regard, qui peignait l'insouciance la plus absolue, se dirigea vers Chizac-le-Riche.

Celui-ci murmura aussitôt :

– Il n'y a point d'auberge pour ceux qui n'ont ni sous ni maille.

Loiseau perdit toute mesure.

– Je connais des gens qui mangent volontiers une soupe réchauffée, dit-il avec une véritable colère, moi cela m'incommode ! Voilà comment on entrave une instruction. J'ai ma méthode, je me moque de l'épée comme d'un grain de sel ; quant aux poches vides, la belle malice ! Si ce gaillard-là avait de l'argent plein ses poches, il serait moins suspect d'avoir assassiné Guillaume Badin pour le dépouiller ensuite. En prison d'abord, et ensuite la question, voilà la marche rationnelle !

Touchenot le commissaire n'était pas éloigné de partager cet avis.

Thirou le greffier n'avait jamais d'opinion. Cela faisait partie de son emploi.

L'inspecteur Bertrand remit l'épée au fourreau, croisa ses mains derrière son dos et regagna sa place, dans son coin contre la muraille.

Il régnait parmi les bases fonctionnaires de la justice et de la police une émotion sourde comme si on leur eût donné une charade à deviner.

L'épée vierge. Les poches vides !

Ils ne comprenaient pas.

Au-dehors, la voix de la foule s'enflait : il y avait des rires et des huées : cela ressemblait un peu au tapage qui emplit une salle de spectacle quand l'entracte se prolonge outre mesure.

– Ils ont raison, que diantre ! Ils ont raison de s'impatienter, murmura Loiseau, nous gaspillons ici un temps précieux. Voyons ! Il faut en finir ! L'homme est assassiné, personne ne le nie : il y a un assassin, c'est manifeste. Eh bien ! je dis qu'on n'a pas répondu à cet argument qui peut paraître subtil, mais qui est le fond même de la cause : pourquoi ce vagabond est-il entré ici justement, au lieu d'aller coucher à son auberge ! J'ordonne en conséquence...

Il fut interrompu par Chizac qui dit :

– Maître Bertrand, l'inspecteur passe pour un homme très habile.

Tout le monde, excepté Bertrand lui-même, regarda curieusement Chizac.

Il s'était installé de nouveau dans son fauteuil et avait repris toute son importance.

– L'opinion dudit sieur Bertrand, reprit-il, a fait sur moi une certaine impression. Il y a l'épée qui évidemment n'a jamais touché le sang d'un homme, et il y a le dénuement absolu de ce malheureux. Guillaume Badin avait, hier soir, une somme considérable dont je ne puis préciser le chiffre, plus son gain de la journée dont le montant est à ma connaissance : il avait emporté des Trois-Singes plus de cent mille écus en argent et en valeurs.

– Plus de cent mille écus ! répéta l'assistance.

– Monsieur mon ami, supplia Loiseau d'un accent découragé, où voulez-vous en venir ? Ce sont là choses à dire quand la cause viendra au Bailliage ou au Présidial. Je suis attendu chez moi pour mon potage et par ma femme, qui s'inquiète sans doute...

– La femme, dit Thirou à Touchenot, quant au potage, il refroidit. Ce Chizac présiderait au Parlement, savez-vous !

Chizac glissa une œillade vers l'inspecteur qui regardait au plafond, et reprit :

– Personne ici, je le pense, n'a des occupations plus importantes que les miennes.

– Ah ! je crois bien, firent ensemble le commissaire et le greffier. Chacune de ses heures vaut le traitement d'un conseiller.

La tête de Loiseau tomba sur sa poitrine en jetant à Fortune un rancuneux regard.

– Coquin, tu me paieras ma soupe !

– Si j'ai pris la peine de venir, poursuivait cependant Chizac, c'est que j'ai cru être utile au bien de la justice. Il y a ici un problème à la solution duquel mon témoignage peut aider. Je prie Monsieur le greffier de noter avec soin mes paroles : je diviserai ma déposition en deux parties. Hier, cet homme a joué au cabaret des Trois-Singes ;

il avait de l'argent et quand je me suis retiré, il était en train de perdre. En ce moment Guillaume Badin était déjà rentré chez lui. J'ai dû passer devant sa porte pour gagner mon logis, mais je n'ai point remarqué s'il l'avait ou non fermée. Je dis ceci, parce qu'aucune trace d'effraction n'a été constatée.

– Est-ce précis ! est-ce concis ! fit le greffier, qui écrivait à perdre haleine.

Loiseau s'était assis sur le pied du lit avec résignation.

– Voilà tout pour ce qui regarde la soirée d'hier, reprit Chizac. Ce matin, au petit jour, je puis affirmer que la porte de mon protégé et locataire Guillaume Badin était entrouverte, car je suis entré chez lui. Et comment aurais-je pu entrer, sans cela, puisque la clé se trouvait en dedans ?

Ici, l'inspecteur Bertrand eut une légère quinte de toux, et le tic de Chizac manœuvra vigoureusement.

Personne ne prit garde à la toux de maître Bertrand, et, à part les équipées de son tic, jamais la figure bouffie de Chizac-le-Riche n'avait été plus impassible.

Il acheva :

– Les choses étaient exactement comme vous les avez vues quand vous êtes entrés, sauf un seul fait : ce jeune homme dormait et ronflait, étendu sur le lit.

– Et bien entendu, murmura Touchenot, l'argent de Guillaume Badin était déjà envolé ?

Chizac ne répondit que par un signe de tête affirmatif.

– Et que voyez-vous dans tout cela, s'écria Loiseau en bondissant sur ses pieds, qui puisse empêcher de coffrer ce drôle ? « *Sunt verba et voces !* » Y a-t-il un mot, un seul mot qui explique pourquoi il n'est pas rentré à son auberge ? Pour la seconde fois, j'ordonne...

– Un instant ! interrompit encore Chizac ; je désirerais connaître l'avis formel de maître Bertrand. Vous ne pouvez me refuser cela.

L'inspecteur, ainsi interpellé, répondit d'un air innocent :

– Moi, je suis toujours du même avis que M. le bailli. La prison et la question, voilà la bonne manière !

XXII

Où Fortune pleure pour la première fois

En toute autre circonstance, le bailli suppléant Loiseau se fût peut-être indigné qu'on eût pris l'avis d'un subalterne pour contrôler les ordres d'un magistrat tel que lui. Mais il y avait le potage qui l'attendait à la maison.

– Ce garçon, dit-il en adressant à Bertrand un signe de tête protecteur, n'est pas si nigaud qu'on le pense. L'habitude de se frotter à des gens de ma sorte le décrassera, vous verrez. Allons, enfants, qu'on se mette en besogne ! relevez-moi ce coquin et qu'on desserre les liens de ses jambes pour qu'il puisse marcher jusqu'à la prison du Châtelet. Quant au corps du délit, avant de l'envoyer au caveau de la Montre, j'ordonne que le docteur Pujon, mon médecin ordinaire et celui de Mme Loiseau, soit requis, dans le plus bref délai d'avoir à constater l'état du cadavre : c'est à savoir,

1° si ledit Guillaume Badin est bien mort ;

2° de quoi il est mort ;

3° à quelle heure remonte la perpétration du crime.

Il jeta sa canne sous son bras d'un geste content, et campa son tricorne sur sa perruque.

Puis, tendant le jarret, il ajouta :

– Çà ! qu'on ouvre cette porte et qu'on fasse ranger le populaire pour livrer passage aux gens du roi ! J'ai bien gagné ma soupe.

Les exempts s'empressaient déjà autour de Fortune, qui se laissait faire et gardait un morne silence.

Le greffier Thirou d'un côté, Touchenot, le commissaire, de l'autre, se rapprochaient à bas bruit de Chizac pour prendre une consultation financière.

Chizac songeait et secouait la tête lentement en homme qui ne dit pas tout ce qu'il pense.

– Ces choses-là, murmura-t-il entre haut et bas, sont faites à la hâte. Il y a de fortes présomptions contre le jeune homme, mais l'épée neuve, mais les poches vides.

Si quelqu'un eût examiné en ce moment maître Bertrand, ce

quelqu'un aurait vu jaillir de ses paupières demi-closes ce singulier rayon dont nous avons parlé déjà. Cela ressemblait aux lueurs paresseuses qui éclatent dans l'œil d'un chat au moment où on le caresse.

Mais personne ne faisait plus attention à maître Bertrand, qui restait abandonné dans son coin.

Le greffier et le commissaire, qui voulaient flatter Chizac sans mécontenter le bailli, répondirent en même temps tout bas :

– Monsieur, c'est notre avis ; il y a trop de hâte.

Puis tout haut :

– Ceci n'est qu'un commencement d'instruction, et, Dieu merci, le sieur Loiseau sait ce qu'il a à faire !

Loiseau, qui marchait vers la porte, haussa les épaules superbement.

– Dans chaque cause, il n'y a qu'un point, dit-il de ce ton qu'il faut prendre pour lancer un axiome, ce point je le trouve toujours, c'est mon fort. Ici le point est dans la question : pourquoi n'a-t-il pas été à son auberge ?

La porte s'ouvrit, mais les hallebardiers n'eurent pas besoin d'écarter le populaire.

Le passage était frayé d'avance : un large passage. Et la foule, tout à l'heure bruyante, se taisait.

Il y avait à ce silence subit un motif que le bailli Loiseau ne pouvait pas encore deviner. Il l'attribua d'abord, comme de raison, au respect tout naturel que l'assistance devait avoir pour sa personne ; mais, dès le premier pas qu'il voulut faire au-dehors il fut détrompé rudement.

Malgré la présence des hallebardiers, une douzaine d'hommes et de femmes sortirent des rangs pour boucher l'issue, et une marchande de la halle, parlant à voix basse, mais d'un accent impérieux, dit à Loiseau :

– Restez !

– Comment ! que je reste ! s'écria le bailli-suppléant au comble de l'indignation. Est-ce à moi que vous parlez, bonne femme, et savez-vous qui je suis ?

– Je sais qui vous êtes, répondit la marchande avec une certaine gravité, et c'est à vous que je parle. La voilà ! Elle vient, restez.

Ce mot fut répété tout à l'entour et produisit un solennel murmure, car personne n'élevait le ton.

– « *Elle* » ? qui ?

Loiseau n'en savait rien et peu lui importait. C'était un petit homme irritable et plein de lui-même, qui pouvait devenir féroce quand on dérangeait l'heure de ses repas.

Il allait donner l'ordre de croiser les hallebardiers lorsque le silence se rétablit tout à coup plus profond ; en même temps, la foule ondula du côté de la rue des Lombards, et dans le large vide qui se faisait, une femme parut.

C'était elle, c'était Thérèse Badin, la fille du mort, qui venait, non plus en carrosse, mais d'un pas pénible et chancelant ; appuyée d'un côté sur la harengère, de l'autre sur l'enfant qui avait lancé contre elle une émeute deux heures auparavant.

L'enfant et la harengère la soutenaient avec une compassion mêlée de respect. Et la cohue les regardait passer avec la même pitié respectueuse.

Thérèse n'avait point changé de vêtements. Elle portait toujours cette robe splendide en satin rose, semée de bouquets de perles, qu'elle avait à la fête de Mme la duchesse du Maine.

Mais cette robe était froissée et souillée par de rudes attouchements.

Thérèse avait été portée à bras pendant une grande portion du chemin.

Les fleurs de sa coiffure pendaient encore, à moitié arrachées de ses cheveux qui tombaient en désordre, et dont les masses prodigues faisaient un cadre noir à la pâleur de son visage.

Devant elle Loiseau recula, et il fit bien, car la foule l'eût fait reculer de force : il avait vu cela à la flamme sombre qui brûlait dans tous les regards.

Les hallebardiers s'écartèrent de droite et de gauche, et ils firent bien : on eût brisé leurs armes dans leurs mains.

Thérèse passa, grandie par son désespoir, et si tragiquement belle que tous les cœurs se serraient.

Elle entra.

Mais comme si, dans notre misérable vie, la farce devait toujours accompagner le drame, semblable au limaçon grotesque qui se colle aux murailles des nobles monuments, derrière Thérèse et ceux qui la soutenaient, un valet de cuisine bossu et bancal, coiffé de Bazin blanc et portant la cuiller à pot à la ceinture comme une rapière, se glissa tortueusement.

Il tenait dans ses deux mains une écuelle de faïence brune que recouvrait une assiette.

Les hallebardiers trouvèrent bon de prendre contre lui leur revanche et lui dirent :

– On ne passe pas !

Le marmiton répondit :

– C'est le déjeuner du sieur Loiseau, que dame Loiseau lui envoie tout chaud, et gare à vous s'il refroidit, malhonnêtes !

Le marmiton passa comme la belle Thérèse.

Et pendant que celle-ci allait vers le corps de son père, le marmiton aborda Loiseau, qui reçut l'envoi conjugal sans fausse honte et avec reconnaissance.

– Cherchons une bonne place, dit-il ; avec l'estomac, moi je ne plaisante jamais. As-tu une cuiller ?

Le marmiton bancal et bossu avait une cuiller.

Loiseau releva l'assiette que recouvrait l'écuelle, et la fumée de la soupe vint caresser ses narines, qui se gonflèrent.

– Tiens-toi là, dit-il, ne bouge pas, tu me serviras de table.

Et il commença tranquillement son repas.

Thérèse était tombée à deux genoux devant le corps de son père. Ses mains qui tremblaient écartèrent les cheveux collés au front du mort.

– Il est glacé, murmura-t-elle.

Ce fut sa première parole, et elle entoura le corps de ses bras comme pour le réchauffer.

À l'exception de Loiseau qui déjeunait, tout le monde suivait cette scène terrible. Dans toutes les poitrines le souffle s'arrêtait.

Dans son coin, maître Bertrand se leva sur la pointe des pieds pour mieux voir. Il y avait aux joues bouffies de Chizac des yeux livides. Fortune ouvrait des yeux tout grands, comme on fait dans le paroxysme de l'effroi, et sa bouche restait béante.

Les gardes qui étaient autour de lui remarquèrent cela. Touchenot dit au greffier Thirou :

– Une belle brune ! mazette !

Et Thirou répliqua :

– Si elle avait tardé seulement une minute, on allait savoir le fin mot !

Le fin mot de l'oracle Chizac, le fin mot sur la grande question : fallait-il acheter ou vendre aujourd'hui les actions de la compagnie ?

Thérèse posa ses lèvres sur le front du mort. Ce fut un long baiser.

Puis elle parla, et sa voix changée mettait du froid dans les veines de ceux qui écoutaient.

– Mon père dit-elle, mon père chéri, toi qui m'aimais si tendrement, je n'étais pas là ! Tu m'as appelée peut-être, mais je n'ai pas entendu ta voix. J'écoutais la musique de cette fête ! je dansais !

Elle s'interrompit en un sanglot, puis, se prenant la tête à deux mains comme une folle, elle répéta :

– Je dansais !

Un autre sanglot se fit entendre ; il sortait de la poitrine de Fortune.

Thérèse se tourna vers lui. Elle fit comme si elle ne le reconnaissait point.

Fortune s'appuya des deux mains au garde qui était le plus proche ; Thérèse lissait et caressait les cheveux souillés du cadavre.

– Tu étais bien tranquille, dit-elle, et bien heureux là-bas dans notre petite chambre, tu ne souhaitais rien que de me voir contente : nous étions tout l'un pour l'autre, et quand tu me parlais de l'amour qui vient aux jeunes filles, je te répondais : les autres n'ont pas un père comme toi ; moi, je ne veux aimer que toi !

Elle cacha sa tête dans le sein du vieillard.

Fortune dit au garde :

– Je ne peux pas essuyer mes yeux et je veux voir.

Le garde passa un mouchoir sur ses paupières, et Fortune remercia.

– C'eût été dommage, fit Loiseau la bouche pleine de soupe, je n'en ai jamais mangé, de meilleure !

– C'est grande pitié d'entendre cette pauvre fille-là, dit le marmiton, et voyez ! celui qui a les mains liées pleure comme une Madeleine, monsieur Loiseau.

– Bon, bon, gronda le juge, un honnête homme aurait couché à son auberge.

Thérèse poursuivait pour elle-même et d'une voix qui ne s'entendait presque plus ; mais la foule devinait ses paroles au-dehors, car tous les yeux étaient pleins de larmes :

– Mon père, ce que tu avais te suffisait. Chez nous, il n'y avait que moi d'ambitieuse. C'est moi qui t'arrachai un jour à ton pauvre bonheur ; je voulais pour toi la fortune, que sais-je ? Le pouvoir... C'est moi qui t'ai amené ici, c'est moi qui t'ai donné cet argent funeste qui appelle le crime. Mon père, mon père, c'est moi qui t'ai tué !

Elle s'affaissa sur elle-même et resta accroupie.

Au-dehors la foule s'écria :

– L'assassin ! Nous voulons l'assassin !

Chizac releva la tête vivement, comme si ce cri eut éveillé en lui une idée soudaine.

Il n'avait rien à craindre ni à désirer, ce riche, et pourtant son regard exprimait du soulagement et désespoir.

Quelqu'un le frôla en passant ; il se retourna et son regard croisa celui de l'inspecteur Bertrand qui se dirigeait vers la porte.

– L'assassin, répéta Thérèse, qui se leva toute droite, où est l'assassin ?

Elle regarda autour d'elle en ajoutant :

– L'assassin de mon père !

Personne ne lui répondit.

Son regard avait presque achevé le tour de la chambre lorsqu'il tomba sur Fortune.

Fortune était le seul qui fût garrotté.

Thérèse eut un mouvement comme pour s'élancer vers lui, mais elle le reconnut à ce moment et recula de plusieurs pas en disant :

– Lui ! Oh ! Ce serait horrible !

Sa pâleur ne pouvait pas augmenter, mais ses yeux exprimaient une angoisse nouvelle.

XXIII

Où Fortune retrouve la parole

Au premier moment, le désespoir de cette pauvre belle fille avait mis dans tous les cœurs un mouvement de terrible colère.

La foule a des cruautés de tigre : on voulait déchirer l'assassin.

Mais la foule a des tendresses d'enfant. Maintenant qu'elle voyait en face l'assassin, ce jeune homme au visage charmant dont les mains enchaînées ne pouvaient essuyer ses larmes, la foule avait pitié, la foule doutait, la foule disait avec ses cent voix :

– Est-ce bien ce chérubin qui a tué maître Guillaume ?

Les hallebardiers hochaient gravement la tête en signe d'affirmation.

La foule ne voulait plus les croire et criait :

– Voici Chizac-le-Riche dans son fauteuil, quand les juges et les commissaires sont debout ! Chizac n'est pas là pour rien. Nous voulons savoir ce que pense Chizac :

– Et maître Bertrand ! ajoutèrent quelques voix au moment où l'inspecteur se rapprochait de la porte, maître Bertrand n'a ni bésicles ni perruque comme messieurs du Bailliage. Il y voit clair, maître Bertrand !

Maître Bertrand faisait la sourde oreille.

Chizac, au contraire, se tourna vers la porte et adressa à la foule un regard souriant.

– Vive Chizac ! cria la foule, c'est un bon riche.

Thérèse subissait en ce moment un état de douloureuse prostration. Ses yeux baissés n'avaient plus de larmes ; elle semblait prête à se trouver mal.

– Chizac ! criait-on dans la foule, donnez-lui votre fauteuil.

Chizac se leva aussitôt et sa débonnaire figure exprima naïvement le regret qu'il avait d'avoir été prévenu.

– Merci, mes amis, dit-il en agitant sa main vers la porte, j'aurais dû songer à cela de moi-même.

– Vive Chizac ! répéta la foule.

Et d'autres voix ajoutèrent :

– Rangez-vous, maître Bertrand, que nous puissions voir Chizac !

Soit pour obéir à cette fantaisie de la cohue, soit pour accomplir plutôt quelque besogne ayant trait à ses fonctions, l'inspecteur fit un pas vers le billot et s'agenouilla auprès du corps.

La foule cessa aussitôt de regarder son Chizac pour suivre avec une attention nouvelle les mouvements de maître Bertrand.

Chizac faisait comme la foule et son tic allait.

Voici ce que virent Chizac et la foule : l'inspecteur Bertrand tira de sa poche un étui où il y avait une paire de ciseaux. À l'aide de ces ciseaux et avec beaucoup de soin, il découpa un petit rond dans le drap du pourpoint de Guillaume, puis il fit de même pour la soubreveste, et de même encore pour la chemise.

Au centre de chacun de ces petits ronds s'ouvrait le trou exigu par où avait passé l'épée qui avait tué maître Guillaume.

Bertrand remit ses ciseaux dans leur étui, plaça les trois ronds dans son portefeuille et fourra le tout dans sa poche.

Touchenot et Thirou qui avaient pu enfin prendre position auprès de Chizac lui dirent :

Touchenot à droite :

– Il ne vous en coûte rien pour faire des heureux.

Thirou à gauche :

– Moi je ne demande pas l'opulence ; la médiocrité dorée du poète suffirait à ma modeste ambition.

Il est permis de croire que Chizac n'écoutait pas. L'inspecteur Bertrand et lui venaient d'échanger un regard.

Depuis que Thérèse était assise, toute la force factice qui l'avait soutenue jusqu'alors s'était évanouie. Elle pleurait comme une pauvre enfant.

Fortune, qui la contemplait malgré lui, semblait attiré vers elle par une invincible fascination. Ses gardes étaient obligés de le retenir ; on voyait en quelque sorte la fièvre qui lui montait au cerveau et qui allait se changer en transport.

Les yeux baignés de Thérèse se relevèrent sur Fortune ; elle secoua la tête lentement.

Notre cavalier bondit sous ce regard. Il repoussa ses gardiens d'un mouvement si violent et si désespéré que ceux-ci lâchèrent prise. Fortune écarta le bailli, qui seul désormais lui barrait le passage, et tomba aux pieds de Thérèse en disant :

– Vous n'avez pas cru cela ! Que Dieu vous récompense ! Si j'avais tué votre père, je mourrais à vos pieds, car je vous aime !

Il n'y eut dans toute l'assistance que Thérèse elle-même pour entendre ces derniers mots. Thérèse, et peut-être l'inspecteur Bertrand qui était auprès d'elle.

Mais la foule vit le mouvement et s'agita plus émue. L'âme des spectateurs passa dans leurs yeux.

Ce qui survit fut rapide comme l'éclair.

La belle Thérèse mit ses deux mains sur les épaules de Fortune agenouillé. Leurs yeux se touchaient presque. Elle le regarda jusque dans le cœur.

Puis elle écarta de sa main frémissante les cheveux mêlés qui voilaient le front du jeune homme, et ses lèvres eurent un vague sourire.

– Ce n'est pas celui-là, murmura-t-elle, qui a tué mon bien-aimé père.

La foule, houleuse comme une mer, rendit au-dehors un grand murmure, et l'émotion contagieuse gagna jusqu'aux suppôts de la justice.

Mais le bailli Loiseau était à l'abri de ces entraînements qui égarent le vulgaire. Il avait puisé dans l'écuelle de faïence brune une nouvelle et indomptable vigueur.

– Sac à papier ! dit-il, arrivant à blasphémer dans le paroxysme de son indignation, je crois que l'effrontée en tient pour ce vagabond ! En quel temps vivons-nous !

– Monsieur mon ami, reprit-il en s'adressant à Chizac, j'estime comme je le dois l'importance de votre capital, mais vous abaissez votre caractère en pactisant avec ces badauds. Monsieur le commissaire, faites votre devoir. Il y a une pierre de touche. Ce drôle a-t-il couché à son auberge ? non ! Les 500 000 habitants de

Paris seraient là devant cette porte que je dirais encore non, il n'a pas couché à son auberge ! Qu'on le saisisse, qu'on l'emmène et qu'il soit écroué jusqu'à plus ample informé !

La cohue s'ouvrit aussitôt sans essayer de faire résistance.

Ils le laissèrent passer, majestueux et fier de ce qu'il regardait comme une victoire.

Mais quand le commissaire voulut passer, à son tour, avec Fortune dont les exempts s'étaient emparés de nouveau, la foule se referma en criant :

– Chizac ! Chizac-le-Riche ! Puisque celui-là n'est pas coupable, faites-le mettre en liberté.

Maître Bertrand se trouvait en ce moment auprès du millionnaire. Il lui toucha le coude doucement et dit avec ce singulier accent qui semblait toujours railler, quoiqu'il fût exempt de tout sarcasme :

– Il faut leur parler un petit peu. Cela peut avoir son utilité plus tard.

L'œil de Chizac essaya de l'interroger, mais ce diable de Bertrand n'avait jamais rien sur la physionomie.

Chizac murmura :

– Je désirerais vous entretenir en particulier, monsieur l'inspecteur.

– Ah ! ah ! répliqua Bertrand, je crois bien !

– Qu'est-ce à dire ? fit Chizac vivement.

Il s'était redressé de son haut et toisait le subalterne avec sérénité.

– C'est-à-dire, répondit Bertrand bonnement, que vous désirez me parler en particulier. Je ne m'y oppose pas, voilà tout.

– Chizac ! Chizac ! Chizac ! criait la foule qui cédait petit à petit à l'effort des gens du roi.

On emmenait Fortune qui se laissait faire désormais. Thérèse restait demi-couchée dans le fauteuil et pressait son front à deux mains.

Chizac vint sur le devant de la porte.

– Mes amis, dit-il avec cette solide autorité que donnent les écus, soyez raisonnables. Vous nuiriez à celui que vous voulez protéger en résistant à la loi. J'étais l'ami, je dirai plus : j'étais le bienfaiteur du malheureux Guillaume Badin...

– C'est la vérité ! fit-on de toutes parts. Avant de connaître Chizac, Guillaume Badin avait les poches percées !

– Je m'engage, poursuivit le riche, à protéger la fille de Guillaume Badin. Je m'engage aussi à faire tout ce qui est possible pour ce malheureux jeune homme, victime d'un hasard que je ne m'explique pas...

Il appuya sur ces derniers mots.

La foule murmura et s'agita.

– Est-il coupable ?... poursuivit Chizac.

– Non ! non ! crièrent cent voix, il n'est pas coupable !

– Est-il innocent ? ajouta aussitôt le Riche. C'est une question qui regarde le Bailliage.

– Il faut vous en mêler Chizac ! ordonna la cohue.

– Je m'en mêlerai mes enfants, et pensez-vous que j'aie quitté mes affaires ce matin pour le roi de Prusse ? Je m'en mêlerai, je vous le promets, et fallût-il dépenser vingt mille francs...

– Vive Chizac !

– Fallût-il dépenser le double, je vous promets que nous saurons la vérité sur le meurtre de Guillaume Badin.

Des applaudissements frénétiques éclatèrent, et l'on organisa une tentative pour porter Chizac en triomphe.

Pendant cela, Fortune, escorté par ses gardes, tournait la rue des Lombards et descendait vers le Grand-Châtelet.

Des porteurs étaient en train de charger le corps de Guillaume Badin, que sa fille avait réclamé. La foule s'écoulait repue du drame.

Thérèse trouva de bonnes âmes pour l'accompagner et la soutenir pendant qu'elle suivait les porteurs. Avant de la laisser partir, Chizac lui avait baisé paternellement la main.

Les valets des Trois-Singes vinrent chercher les flambeaux et le fameux fauteuil. Quand ils furent éloignés, il ne restait dans le trou que Chizac-le-Riche et l'inspecteur Bertrand, occupé à fureter autour du billot.

Chizac l'appela par son nom.

– Plaît-il ? fit maître Bertrand qui fourrait ses mains sous le grabat.

– Allez-vous enfin me dire, demanda Chizac, ce que vous pensez de tout ceci ?

– Et vous ? dit Bertrand au lieu de répondre.

En même temps, il se releva et vint vers le Riche en croisant ses mains derrière son dos.

Chizac réprima un mouvement de colère.

– Je vous interroge, dit-il durement.

– Moi aussi, répliqua l'inspecteur, dont le visage n'avait jamais exprimé une plus rare innocence.

Chizac tourna le dos et sortit.

L'inspecteur le suivit, et les bonnes gens qui restaient dans la rue se dirent les uns aux autres en le voyant passer :

– Voici Chizac-le-Riche qui accomplit déjà sa promesse. Il va donner ses instructions à maître Bertrand.

Chizac entendit cela et son visage sérieux se dérida.

– Venez, fit-il en se tournant vers l'inspecteur.

– Je viens, répondit paisiblement celui-ci.

Quand ils furent sous la porte cochère du Riche, Bertrand ferma le battant et dit :

– Vous m'inviterez bien à casser une croûte, car je suis à jeun depuis ce matin.

Chizac monta les degrés, et l'instant d'après ils étaient assis vis-à-vis l'un de l'autre devant une table abondamment servie.

Ce Bertrand mangeait supérieurement et choisissait les bons morceaux.

– Si j'avais de l'aisance, dit-il, j'aimerais avoir une cave bien garnie, mais il faut se procurer le nécessaire avant de songer au superflu. Ma famille est si nombreuse !

Il soupira.

– Combien avez-vous d'enfants ? demanda Chizac.

– Cinq fils et cinq filles, le choix du roi.

Il fit claquer sa langue après avoir dégusté un verre de chambertin et reprit en baissant la voix :

– Cet accusé ne vaut rien pour vous.

Chizac le regarda d'un air étonné.

– Son innocence saute aux yeux, poursuivit Bertrand de son accent traînard et paisible.

– Tant mieux, s'il est innocent ! s'écria Chizac.

– J'entends bien, dit encore l'inspecteur, et pourtant il vous faut un coupable.

– Il me faut le coupable ! rectifia Chizac d'un ton péremptoire.

Son regard était clair et assuré, mais son tic allait.

– J'entends bien, dit encore maître Bertrand, il vous faut le coupable... Oh ! j'ai d'autres clients comme vous. Ce n'est pas avec mon traitement d'inspecteur que j'aurais pu élever ma nombreuse famille.

Chizac cessa de manger et fronça le sourcil.

Le salon où ils déjeunaient était séparé de la salle voisine par une baie vitrée.

À travers les carreaux on put voir un valet qui introduisait un homme accompagné d'un chien.

Maître Bertrand mit sa main au devant de ses yeux et regarda le nouvel arrivant, que Chizac avait déjà reconnu.

Bertrand sourit et demanda :

– Celui-là vous plairait-il ?

– Celui-là ? balbutia Chizac.

– Oui, fit Bertrand, celui-là vous plairait-il comme coupable ?

Chizac frappa la table de son poing.

– J'y avais songé ! s'écria-t-il.

Il ajouta précipitamment :

– Saviez-vous donc déjà qu'il était cette nuit, à l'heure du crime, dans la rue des Cinq-Diamants ?

Bertrand eut son meilleur sourire.

– À l'heure du crime ? répéta-t-il ; quelqu'un connaît donc l'heure du crime ! et quelqu'un était là pour examiner les passants ? Voyons, ce garçon-là vous connaît-il ?

Comme Chizac ouvrait la bouche pour répondre, le valet vint à la porte et dit :

– C'est un jeune homme qui prétend être le cousin de Monsieur et qui se nomme La Pistole.

Chizac semblait hésiter.

– Maître Bertrand, murmura-t-il, nous reprendrons cet entretien.

Puis s'adressant au valet, il ajouta :

– Mettez un couvert pour mon cousin La Pistole.

XXIV

Où Fortune ne sait plus à quel amour entendre

Fortune arriva au Châtelet vers dix heures du matin avec sa belle escorte d'exempts, d'archers et de hallebardiers, derrière laquelle venait encore cette portion du public qui veut boire le spectacle.

Le guichetier de la grande geôle, voyant arriver tant de monde, jugea bien qu'il s'agissait d'un personnage d'importance et fit appeler le geôlier. Celui-ci était un bon gros homme à tournure d'aubergiste qui passait pour tenir sa prison un peu comme une hôtellerie.

À l'appel du guichetier, maître JANVIER Munier, qui achevait son repas du matin, vint avec un verre de vin dans une main et une tartine de raisiné dans l'autre.

- Eh bien ! eh bien ! dit-il en voyant la pompeuse escorte du cavalier Fortune, nous sommes un peu à court de logements, car la pratique donne, c'est une bénédiction ! Mais ce jeune gentilhomme a une mine qui ne me déplaît pas. Nous avons trois numéros vacants dans l'ancienne salle des témoins que monsieur le gouverneur a fait cloisonner et transformer en cellule. Parlez au gentilhomme, maître Lombat.

Maître Lombat était le guichetier. Il s'approcha de Fortune, qui se prêta avec une obéissance machinale à toutes les cérémonies de son incarcération, et lui demanda franchement s'il avait de l'argent.

Fortune répondit non avec une égale franchise.

Maître Lombat revint alors à maître Janvier Munier qui grommela :

- Je vous avais bien dit tout de suite que ce jeune vagabond avait méchante mine. Pourquoi me dérange-t-on sous de pareils prétextes ! Avant de venir me chercher, une autre fois, informez-vous sur la question de savoir si les prisonniers réclament la pistole. Qu'on mette celui-ci où l'on voudra, et, s'il n'y a pas de place à la grande geôle, qu'on se foule un peu. Il n'est pas dit dans les ordonnances que les coquins sont mis en prison pour y être à leur aise.

Maître Janvier Munier mordit dans sa tartine et reprenait déjà le chemin de sa salle à manger, lorsqu'un des exempts, qui racontait à un porte-clés l'aventure de la rue des Cinq-Diamants, prononça le nom de Chizac-le-Riche.

Maître Janvier Munier s'arrêta, se retourna et but une gorgée de son vin. Il appela maître Lombat et lui dit :

– Sachez un peu ce que le digne M. Chizac fait dans tout ceci.

Lombat revint au bout d'une minute et, certes, les renseignements qu'il apporta n'étaient ni bien clairs ni bien concluants, mais ce Chizac était comme les saints dont les sandales mêmes font des miracles. Maître Janvier Munier réfléchit et dit :

– Il vaut mieux risquer une bagatelle que de mécontenter un honnête homme qui possède une rue entière, plus trente autres maisons dans Paris, plus... enfin je m'entends ! Qu'on donne à ce garçon une des cellules de l'ancienne salle du témoignage.

– Et, demanda Lombat, aura-t-il le vin et l'ordinaire des pistoliers ?

Le geôlier cabaretier réfléchit encore, puis il s'écria :

– Ma foi ! vogue la galère ! Mieux vaut perdre un jour ou deux de pistole que de désobliger un homme si respectable. On disait, pas plus tard qu'hier, que son revenu montait à plus de cinq millions tournois.

Le dernier mot que Fortune avait entendu venant de la foule était celui-ci :

– Bon espoir ! Chizac-le-Riche veillera sur vous.

À l'insu même de Chizac, cette prédiction se réalisait déjà.

L'écrou de Fortune ayant été dressé dans les formes, on lui enleva ses liens, et maître Lombat le conduisit, à travers un dédale de corridors noirs et humides, jusqu'à la cellule qui lui était destinée.

La cellule portait le n° 37 : elle s'ouvrait à l'extrémité d'un couloir très étroit dont elle occupait l'extrémité.

Dès que la porte fut ouverte, Fortune entra dans une sorte de boîte carrée dont l'ameublement était semblable à celui de la chambre à coucher du pauvre Guillaume Badin, qui coûtait de loyer

4 800 livres par année.

Il y avait une escabelle au lieu de billot, une paillasse sur un cadre et une cruche de grès au col de laquelle pendait une écuelle de fer.

Cette boîte était fort étroite dans le sens de sa surface horizontale, mais on n'y manquait point d'air parce qu'elle avait une énorme hauteur d'étage.

Maître Lombat repassa le seuil et la grosse clé cria dans la serrure.

Fortune se laissa tomber sur l'escabelle.

Ce n'était pas la première fois qu'il allait en prison.

Peut-être même avait-il habité en sa vie errante et aventureuse des cachots bien autrement lugubres que cette boîte bâtie en planches neuves de trois côtés et abondamment éclairée, d'abord par le haut, ensuite du côté du mur par une moitié de fenêtre grillée.

L'autre moitié de la fenêtre devait servir à la cellule voisine portant sans doute le n° 38, puisqu'elle était la dernière de la série des nombres pairs.

Mais Fortune, il faut bien le dire, n'accordait aucune attention à tout cela. Vous eussiez dit un homme qui a reçu un pavé sur la tête.

Il y a des sensations rétrospectives. En écoutant tout à l'heure parler à maître Lombat, Fortune s'était dit : Voilà le premier signe de vie qui me soit donné de ce côté.

Mais, maintenant, il avait conscience d'avoir entendu déjà ce bruit sourd et patient qui le frappait : seulement étourdi qu'il était, perdu dans le désordre de ses pensées, il n'avait pas fait d'abord attention à ce bruit.

Cela ressemblait au travail lent d'un rongeur qui use le bois d'un arbre.

Fortune avait vu du pays ; il sourit et pensa :

– Monsieur le cavalier se creuse un trou de taupe dont on pourra profiter le cas échéant ; c'est décidément un voisin agréable.

Sur les trente-huit cellules, il y en avait sans doute quelques-unes de vides, et d'ailleurs maître Lombat ne vendait pas de vin à tous les prisonniers. Au bout de dix minutes, la clé tourna dans la serrure de

Fortune, et le bienfaisant guichetier parut avec son panier qui ne contenait plus qu'une seule assiette.

C'était le déjeuner si impatiemment attendu. Maître Lombat déposa l'assiette sur le pied du lit et fit sauter le bouchon d'une bouteille.

Après quoi il tira de sa poche une feuille de papier, une plume et un écritoire.

– Voilà votre affaire, mon jeune coq, dit-il.

Fortune avait déjà découvert l'assiette qui contenait une bonne portion d'oie rôtie.

– Allons ! fit-il, la France est la reine des nations, décidément ! À Rome, on ne m'eût donné que de la ratatouille.

– Vous savez écrire ? demanda maître Lombat.

– Comme père et mère, répondit Fortune.

– Alors, mon camarade, il faut faire un bout de lettre pour Chizac-le-Riche, qui vous porte de l'intérêt, à ce qu'on dit, ou pour tout autre de vos amis à votre choix. Je suis père de famille et ne puis vous donner à crédit plus d'un jour. Si seulement ce bon M. Chizac vous envoie une cinquantaine de pistoles, vous mangerez de l'oie tous les jours et vous serez dans le paradis.

– Et si ce bon M. Chizac que je ne connais ni d'Ève ni d'Adam, interrogea Fortune, ne m'envoie rien ?

– J'en serai pour un déjeuner, répliqua le guichetier, pour un dîner et les deux bouteilles de vin, à moins que vous n'ayez l'honnêteté de me signer un écrit qui me donne droit à votre défroque quand vous n'en aurez plus besoin.

Fortune le regarda de travers.

– Il paraît, poursuivit maître Lombat paisiblement, que votre histoire n'est pas bonne. Monseigneur le régent est ennuyé de toutes les coquineries qui se commettent au quartier Quincampoix, et MM. du Bailliage sont bien décidés à faire un exemple.

Fortune versa du vin dans son verre jusqu'au bord.

– J'avais une étoile, grommela-t-il ; à quoi elle songe, corbac ! je n'en sais rien ; mais si elle me laisse conduire jusqu'au gibet, que le diable l'emporte ! À votre santé, bonhomme.

Il vida son verre et reprit :

– Est-ce que mon voisin, que vous avez appelé Monsieur le chevalier, est aussi en passe d'être pendu ?

– Le n° 38 ? Non pas, c'est une histoire de cour. Il en a pour jusqu'à la fin de sa vie, voilà tout.

– Il est jeune.

– Oh ! tout jeune.

– Beau garçon ?

Maître Lombat jeta sur Fortune un regard où il y avait de la compassion.

– Après M. le duc de Richelieu et vous, répondit-il, c'est le plus joli brin d'homme que j'aie rencontré.

– Et vous le nommez ?

– Parbleu ! celui-là peut dire son nom à ses amis et à ses ennemis. C'est le petit Bourbon, comme on l'appelle, le chevalier Pierre de Courtenay, qui est deux ou trois fois cousin de Sa Majesté.

– Bon ! pensa Fortune ; alors, s'il épouse Mlle Aldée, ce ne sera pas une mésalliance.

Il attaqua vaillamment son déjeuner, et maître Lombat, reprenant son panier, se dirigea vers la porte.

– Écrivez, dit-il en passant le seuil, écrivez plutôt deux lettres qu'une. Un joli garçon comme vous ne doit pas être au dépourvu dans Paris, et pour le peu que vous avez à vivre, je n'aimerais pas vous voir vivre de pain sec.

Il sortit. Pendant le quart d'une minute la mâchoire de Fortune ralentit son mouvement.

– La mule du pape ! pensa-t-il, le bonhomme n'y va pas par quatre chemins ! Il a l'idée que je vais être pendu, et il doit s'y connaître.

– Après tout, se dit-il en dépêchant à belles dents sa portion ; je suis innocent comme l'enfant qui vient de naître. Je vais écrire à Chizac... Mais quel diable de tic il a, ce Crésus, et quel singulier regard ! On aurait dit qu'il avait peur de ce drôle de corps maître Bertrand, l'inspecteur, avec sa figure d'innocent. Je vais écrire, à Muguette ; elle ne peut rien pour moi, mais c'est égal. Et encore elle ne peut rien ! maintenant qu'elle connaît tant de grandes dames !... Je vais écrire à Thérèse Badin, quand ce ne serait que pour lui dire : « Je ne peux pas aller à notre rendez-vous... » Je voudrais bien savoir si je l'aime mieux que Muguette ?... Je vais écrire à la duchesse du Maine... à La Pistole... au Parlement... au régent !

Il s'arrêta, la bouche pleine, et se versa un troisième verre.

– Tiens ! dit-il après avoir bu, on n'avait pas entendu la mécanique du petit Bourbon pendant que le guichetier était là ; mais voilà qu'il reprend sa besogne ! Achevons notre déjeuner d'abord, nous ferons ensuite notre correspondance, et puis nous entamerons la conversation avec ce joli cœur.

Pour ce qui regarde le déjeuner, ce ne fut pas long.

Fortune, ayant rongé sa cuisse d'oie jusqu'à l'os, essuya la dernière goutte de sauce avec son dernier morceau de pain et but le fond de sa bouteille.

– Là ! fit-il en secouant les miettes qui étaient tombées sur son pourpoint, je ne me suis jamais senti plus dispos et ce serait grand dommage si messieurs du Châtelet me condamnaient à la mort subite. Voyons ce qu'il y a au fond de notre écritoire.

Il approcha l'escabeau du lit et s'arrangea de son mieux pour libeller sa lettre.

Ce n'était pas un clerc bien habile que notre ami Fortune, mais il en savait cependant assez long pour remplir une page ou deux avec des fautes d'orthographe. C'était beaucoup pour le temps. Il y avait alors de parfaits gentilshommes qui eussent été bien embarrassés pour écrire la fameuse lettre du conscrit.

Fortune avait une grande diablesse d'écriture tremblée et lourde qui tenait beaucoup de place.

– Cet idiot de maître Lombat, pensa-t-il, ne m'a donné qu'une feuille de papier, je ne pourrai pas écrire aujourd'hui à tout le monde. Voyons ce que je vais dire à Chizac-le-Riche.

Il s'appliqua comme un malheureux et traça en tête de sa feuille :

« *Monsieur Chizac, la présente est à fin de vous apprendre...* »

Il s'arrêta pour essuyer la sueur de son front.

– Pour lui apprendre quoi ? se demanda-t-il. Il en sait aussi long que moi... et peut-être plus long !

Ce dernier mot fut prononcé d'un air pensif. Chez tout autre que Fortune, il eût amené très certainement une réflexion ou un calcul.

Mais Fortune ne réfléchissait qu'à la dernière extrémité.

– Par la corbleu ! gronda-t-il, je n'aime pas le tic de ce blafard et je préfère écrire à Muguette.

Il déchira bien proprement le haut de sa feuille de papier et recommença son travail de calligraphie.

« *Ma chère petite Muguette, la présente est à fin de te dire...* »

Il s'arrêta encore ; la sueur perlait sous ses cheveux.

– Corbleu ! fit-il, j'aimerais mieux aller à pied d'ici jusqu'à Fontainebleau, et au pas de course encore. Faut-il lui apprendre que mon voisin envoie des lettres à Aldée ? Comment lui avouer que j'ai perdu mes quinze cents pistoles ! Je me suis présenté hier comme un vainqueur, disant : Je vais vous apporter l'aisance ; et maintenant, faut-il lui demander quelques louis ?

Bien proprement encore, il déchira le haut du papier.

– S'en donne-t-il, au moins, ce petit Bourbon ! pensa-t-il en prêtant l'oreille. Je voudrais bien avoir fini ma correspondance pour lui demander où en est sa besogne.

Sa plume, trop chargée d'encre, fit un beau pâté, mais il écrivit nonobstant :

« *Ma chère mademoiselle Thérèse, la présente est à fin de vous informer...* »

Au lieu de continuer, il rougit.

– Corbac ! fit-il, celle-là me tient au cœur ! Il n'y a pas dans l'univers entier une si belle fille ! Et c'est drôle, oui, chaque fois que je pense à elle, le pauvre petit minois de Muguette passe devant mes yeux, et il me semble qu'elle pleure. J'aime bien Muguette, mais je le lui ai dit à elle-même : ce n'est pas de l'amour, tandis que Thérèse... il n'y a pas à dire, elle m'a fait pleurer comme un enfant, là-bas. Si elle me commandait d'aller au Palais-Royal et de prendre monsieur le régent par le bout du nez... mais s'il fallait me jeter à l'eau pour Muguette aussi... Eh bien, non ! il faut être juste ! je n'écrirai pas à Thérèse puisque je n'ai pas écrit à Muguette.

Le papier fut déchiré, encore, et vous pensez qu'il diminuait déplorablement.

Fortune se dit :

– Il s'agit d'écrire la bonne lettre, cette fois.

Et il traça cet en-tête :

« *Mademoiselle la sœur d'Apollon, la présente est à cette fin de vous mettre à même de me rendre un grand service...* »

Il s'interrompit brusquement pour écouter ; le bruit qui se faisait dans la cellule voisine avait changé de nature.

Au lieu de creuser le sol ou d'user la pierre, M. le chevalier de Courtenay semblait s'attaquer au bois même de la cloison mitoyenne, et le bruit qu'il faisait maintenant changeait à chaque instant de place. Cela montait, montait...

Fortune mit sa tête entre ses mains comme un poète qui cherche une rime rebelle et fit un effort désespéré pour continuer la lettre.

Il en résulta un second pâté et une seconde phrase ainsi conçue :

« *Ledit service consiste en ce qu'il m'est arrivé un accident malheureux, dont j'ai l'espérance que vous voudrez bien m'appuyer favorablement auprès de Mme la duchesse du Maine pour...* »

Impossible d'aller au-delà ! Fortune fit à son imagination un appel terrible, mais derrière ce *pour* il n'y avait rien !

Et le papier était désormais trop raccourci pour qu'il fût possible de recommencer une autre lettre.

Fortune était en train de s'arracher les cheveux, lorsqu'un joyeux éclat de rire retentit au-dessus de sa tête.

Il se leva en fureur et regarda au plafond où il vit un blond et charmant visage penché au-dessus de la cloison, dans l'espace laissé libre par la courbe de la voûte.

La colère de Fortune ne tint pas contre l'inattendu de cette apparition ; par un singulier effet de bascule, le blond visage se contracta, exprimant un soudain courroux.

– De par tous les diables ! dit la voix sonore et mâle que Fortune avait déjà entendue parlant à maître Lombat, est-ce bien vous que je retrouve ici !

Fortune ouvrit de grands yeux et rassembla ses souvenirs, se demandant où et quand il avait pu exciter la colère de M. le chevalier de Courtenay.

Celui-ci poursuivait :

– Si vous n'avez pas d'armes, moi je possède tout ce qu'il faut dans ma cellule. Vous plaît-il de monter ou souhaitez-vous que je descende ? Cette fois, monsieur le duc, nous allons en découdre pour tout de bon !

– À la bonne heure ! fit notre cavalier, je n'ai pas besoin de me creuser la tête, c'est le quiproquo éternel.

« Monsieur le chevalier, ajouta-t-il en élevant la voix, si je n'avais eu de nombreuses dépêches à rédiger, mon intention était d'entrer plus tôt en relations avec vous.

– Palsambleu ! s'écria Courtenay, nos relations sont tout entamées. À défaut de rapières, j'ai deux couteaux et ma lime. Nous tirerons au sort, et si ces armes ne te conviennent pas, duc de malheur, nous jouerons à qui de toi ou de moi étranglera l'autre !

Il avait l'air méchant, ce petit Bourbon, et ses yeux bleus lançaient des éclairs.

Au fond de l'âme, Fortune était tout particulièrement ravi de trouver un ennemi de ce duc qui était sa bête noire.

– Monsieur le chevalier, répondit-il, regardez-moi plus attentivement, je vous prie. Je ne me reconnais coupable d'aucune offense envers vous, si ce n'est peut-être d'avoir perdu mes 15 000 livres, hier au soir, au lieu de gagner la dot de 100 000 écus que je vous destinais dans ma magnificence.

– Est-ce que je me tromperais, murmura Courtenay qui se mit à cheval sur la cloison, ou se moque-t-on de moi ?

– Vous n'êtes pas le premier à vous tromper ainsi, ni le centième non plus, monsieur le chevalier, répliqua Fortune ; pour mon malheur, il paraît que je ressemble à ce duc qui tourne la tête à toutes les coquines de Paris, bourgeoises ou princesses, et même à quelques honnêtes femmes, dit l'histoire.

– Est-ce bien possible ! murmura le chevalier. Palsambleu ! je veux en avoir le cœur net !

Il glissa rapidement sur le faîte des planches jusqu'à l'angle droit formé par les deux cloisons. Arrivé là, il jeta sa seconde jambe en dedans, puis s'aidant des pieds et des mains avec une merveilleuse prestesse qui eût fait la réputation d'un funambule, il se laissa couler le long des madriers.

Fortune n'eut que le temps de pousser un cri de surprise et d'effroi. Le petit Bourbon était déjà en face de lui et lui plantait ses deux mains sur ses épaules.

– Par la morbleu ! s'écria-t-il en retrouvant soudainement sa gaieté, c'est pourtant vrai !... mais voilà une ressemblance qui tient du miracle ! Seulement vous êtes plus gros, plus brun... et vous n'avez pas ce regard de femme... Et encore ce misérable duc a l'air d'un coquin, tandis que, j'en ferais serment, vous êtes un honnête garçon !

– C'est mon avis, monsieur le chevalier, dit Fortune qui se laissait regarder avec un rire de bonne humeur.

– Enfin, poursuivit le petit Bourbon, vous auriez une barbe de sapeur, si vous vouliez, et ce misérable bellâtre n'a pas un poil sur la joue. Par la morbleu ! vous me plaisez, et pour peu que cela vous convienne, nous allons être une paire de camarades tous les deux !

XXV

D'une conversation importante qui eut lieu entre le cavalier Fortune et le petit Bourbon

Fortune ne répondit pas tout de suite aux cordiales avances de ce nouveau compagnon. Quand il parla enfin, ce fut en ces termes :

– Il ne faut pas vous étonner, monsieur le chevalier, dit-il avec gravité, si je vous considère attentivement ; j'en ai le droit par la position où je me trouve vis-à-vis de vous.

– À cause de la permission que j'ai prise de forcer votre porte ? demanda Courtenay en riant.

– La peste ! ne plaisantons pas, interrompit notre cavalier, nous plaisanterons tout à l'heure et tant que vous voudrez. La manière dont vous avez forcé ma porte, pour employer votre langage, me va droit au cœur comme tout ce que je vois de vous, mais si vous aviez bien voulu faire attention à une parole prononcée par moi pendant que vous étiez encore là-haut, à cheval sur vos madriers, vous pourriez comprendre que j'ai quelques renseignements à vous demander.

– Quelle parole, mon camarade ? demanda le petit Bourbon.

– Voilà ma phrase : je vous disais qu'hier au soir j'avais en poche 15 000 livres gagnées loyalement à conspirer contre votre cousin le régent de France...

– Un garçon fort spirituel, fit Courtenay entre parenthèses, mais qui n'a pas de tenue.

Fortune continua :

– Je ne sais pas trop comment vous exprimer la position où je suis vis-à-vis de Mlle Aldée de Bourbon.

– Ah ! ah ! dit Courtenay, vous la connaissez. Comment vous nommez-vous ?

– Sang de moi ! s'écria Fortune, vous m'accusez d'être bavard, mais je n'ai pas encore eu le temps de placer mon pauvre nom. Je m'appelle Raymond tout court, d'ici que je sache comment se nommait mon père.

– Bon ! bon ! murmura Courtenay, tout le monde ne peut pas

avoir été aux Croisades.

– De ma personne, répliqua Fortune, je suis du moins bien sûr de n'y être jamais allé.

Le petit Bourbon lui adressa un souriant signe de tête, et notre cavalier continua :

– Par mes belles actions et aussi à cause de mon étoile qui ne m'a jamais abandonné jusqu'à hier soir, sur le tard, j'ai mérité le sobriquet de Fortune qui sonne bien et qui est préférable à un simple nom de baptême. Vous aurez, s'il vous plaît, à m'appeler comme tout le monde : le cavalier Fortune.

– Soit, repartit Courtenay qui lui tendit la main, salut au cavalier Fortune !

– Merci, prince. J'en étais à vous expliquer ma position vis-à-vis de cette noble et belle sainte.

– Corbleu ! s'écria Courtenay, vous parlez d'elle comme il faut.

– Seulement, interrompit Fortune, si vous causez toujours, je n'aurai jamais fini.

– Je suis muet comme un poisson. Allez.

– Eh bien ! donc, il y a de la détresse dans cette respectable maison.

– Tant mieux ! s'écria Courtenay, malgré sa promesse, c'est par moi que ma chère Aldée sera riche !

– Mais puisque vous n'avez ni sou ni maille, objecta Fortune.

Le geste que dessina le petit Bourbon eût été digne d'un roi.

– Allez ! ordonna-t-il.

– Il se trouve, continua Fortune, que j'ai mangé le pain de cette maison-là. On ne me traitait pas comme un valet, non ; je n'y serais pas resté une heure sans cela. Aldée, la créature angélique, quand nous étions enfants tous deux, m'a appelé bien des fois son frère. Il n'y a pas jusqu'à la vieille comtesse qui n'ait été bonne pour moi, et d'ailleurs il est une autre personne qui fait aussi partie de la famille.

– Cet amour de petite Muguette ? s'écria Courtenay. Ne froncez pas le sourcil, cavalier. Au prochain héritage que je ferai, je vous la dote bel et bien, et vous la prenez pour femme.

Ils se regardèrent un instant en silence. Fortune éclata de rire le premier et le petit Bourbon l'imita franchement.

– Ma foi, dit notre cavalier, ce n'est pas de refus, prince, et vous me mettez à mon aise. J'avais eu la même idée que vous, non point précisément par rapport à Votre Altesse, mais pour le gentilhomme, quel qu'il fût, que notre Aldée eût choisi. Elle est bien pâle, savez-vous, et quand je l'ai revue après une longue absence, j'ai eu peine à la reconnaître. Il m'était venu une idée terrible.

Le front de Courtenay s'assombrit soudain.

– Voilà bien des jours que je ne l'ai vue ! murmura-t-il.

– Puis-je vous adresser une question ? demanda Fortune.

– Toutes les questions que vous voudrez, répliqua le petit Bourbon dont l'accent avait changé. Celle que j'aime et qui est tout mon espoir en ce monde vous a nommé son frère, je vous regarde comme un frère.

Il y avait de l'émotion dans la voix de Fortune quand il reprit :

– Je vous rends grâce, chevalier. Corbac ! vous n'aurez pas à vous en repentir... La question que je voulais vous adresser est celle-ci : êtes-vous payé de retour ?

Courtenay rougit.

– Je l'ai cru, répondit-il à voix basse.

Il ajouta :

– Je le crois encore.

Pour la seconde fois, Fortune dit :

– Elle est bien pâle !

– Lui avez-vous parlé ? demanda Courtenay.

– Non, répliqua Fortune, elle dormait...

Fortune fixa sur lui son regard presque sévère.

– Ce n'est pas vous qui la faites souffrir, je pense, prononça-t-il à voix basse.

Courtenay répondit :

– Il y avait longtemps que je l'avais vue, belle comme une madone, à sa fenêtre ; il y a longtemps que je l'aimais. Un soir, comme elle sortait du salut à la paroisse Saint-Paul, dans la grande rue Saint-Antoine, des jeunes gens ivres s'approchèrent d'elle et l'effrayèrent. Quelques coups de plat d'épée lui firent la route libre et je lui demandai la permission de l'accompagner. Je n'étais pas un inconnu pour elle ; la plus pure des jeunes filles devine celui qui l'aime et Aldée m'avait remarqué. Quand je la quittai à la porte de sa maison, c'en était fait de ma folle jeunesse ; j'étais un autre homme ; elle m'avait permis d'espérer.

– Ah ! s'écria joyeusement Fortune, c'est comme si vous me déchargiez le cœur d'un poids de cent livres ! Alors, elle vous aime !

– Attendez, répliqua tristement le chevalier ; j'étais changé à ce point que je ne me reconnaissais plus moi-même. Moi, l'éternel révolté, je consentais à rentrer dans la vie commune, moi dont l'orgueil légitime est devenu, par les malheurs de ma race, une véritable folie !... Moi, Pierre de Courtenay, qui eus trois de mes ancêtres assis sur le trône de Constantinople, je consentis en moi-même à me faire le simple sujet d'un roi, le simple citoyen d'un pays, je me rendis chez M. le duc de Bourbon qui a toujours conservé vis-à-vis de moi les dehors d'une affection protectrice ; il me plaisait ce jour-là d'accepter sa protection ; je lui dis : je veux me marier ; la jeune fille que j'épouse appartient comme moi à une race royale, à la vôtre, monseigneur ; elle est pauvre comme moi ; pour nourrir ma femme et pour élever nos enfants, je veux bien m'abaisser au rang de simple gentilhomme et je sollicite un régiment.

– Et vous fûtes refusé ! se récria Fortune.

– Pas tout à fait. M. le duc de Bourbon eut la bonté de me donner des espérances. Il me dit : je vais voir monsieur le régent, je vais voir M. Voyer d'Argenson. Cela ne me formalisa point ; je ne suis pas de ceux qui se résignent à demi, la preuve c'est que je changeai mon genre de vie, j'employai mes derniers écus à me faire un équipage convenable et j'allai à la cour. Là, on me reçut d'une façon singulière ; c'est à la cour, surtout, que les nuances se mêlent et que les contrastes vont bras dessus, bras dessous.

« On témoignait beaucoup de respect pour ma naissance, on laissait voir beaucoup de mépris pour ma pauvreté.

« Moi, j'allai mon chemin. Au fond de l'âme, j'étais indifférent au mépris comme au respect, mais je frayais avec toute cette jeune noblesse qui entoure le duc d'Orléans et qui sera le soutien vermoulu du trône quand le jeune roi gouvernera. Je fus l'ami de ceux qu'on appelle les roués. Nocé, Cadillac, Lafare, Brancas et le régent lui-même me faisaient l'honneur de dire en parlant de moi : C'est un drôle de corps.

« Pendant cela, je ne perdais aucune occasion de voir ma belle Aldée qui devenait plus tendre, plus confiante, et que j'aimais avec une passion toujours croissante.

« Une après-dînée que je devais l'accompagner au sortir de l'église, j'arrivai un peu en retard. Elle était déjà sortie. Je pris ma course et je la reconnus qui marchait seule dans la rue Saint-Antoine.

« J'étais sur le point de l'atteindre, lorsque je la vis s'arrêter tout à coup.

« Un carrosse venait de s'arrêter aussi à la porte de l'hôtel de Sully.

« Je ne sais pourquoi je n'abordai point notre chère Aldée. Quelque chose me serrait le cœur, et, au lieu de lui parler, je l'observai.

« Un gentilhomme descendit du carrosse. Son regard tomba sur Aldée, et comme par manière d'acquit, lui envoya un baiser avant de disparaître sous la voûte :

« Aldée chancela. Je n'eus que le temps de m'élancer pour la recevoir, faible, dans mes bras.

Courtenay se tut et il y eut un silence après lequel Fortune dit d'une voix altérée :

– Ce gentilhomme était M. le duc de Richelieu ?

L'azur des yeux de Courtenay devint noir. Ses paupières s'abaissèrent et il répéta :

– Ce gentilhomme était M. le duc de Richelieu, vous l'avez dit.

XXVI

Où Fortune a le plaisir d'apprendre l'histoire du petit Bourbon

Le nom de Richelieu avait produit un effet pareil sur nos deux compagnons : le petit Bourbon tremblait de colère et Fortune avait un éclair dans les yeux.

– Corbac ! dit-il, je conviens que vous avez le pas sur moi de toutes les manières, monsieur le chevalier. C'est vous qui devez le premier tirer l'épée contre ce duc, mais s'il vous embrochait par hasard, soyez certain qu'il ne le porterait pas en paradis !

– Grand merci, mon camarade, répliqua Courtenay, tandis qu'un sourire orgueilleux retroussait sa fine moustache blonde, les gens de ma maison ne se laissent pas embrocher comme cela par un petit du Plessis Vigneron, dont mes pères n'auraient pas voulu pour fourbir leurs éperons...

– Au temps où l'on ne décrottait pas encore les bottes, ajouta Fortune.

– En outre, continua le chevalier, ce Richelieu est brave, quand il le faut absolument, mais il n'a point de chevalerie, et vis-à-vis de vous il lui serait trop facile de se réfugier derrière sa qualité de duc et pair.

– C'est juste, grommela Fortune, la noblesse sert à quelque chose, et je vous envie la vôtre en ce moment, monseigneur mon ami.

« Mais ce n'est pas la fin de l'histoire ? demanda tout à coup Fortune.

– C'est presque la fin, répondit Courtenay ; depuis ce jour-là, je n'ai jamais revu ma pauvre Aldée. Je la reconduisis jusqu'à la maison de madame sa mère, et en chemin j'essayai de savoir. Mais il n'y avait rien, j'en jurerais ! sinon le regard de cet homme qui a sur les femmes un pouvoir diabolique.

« Aldée, poursuivit Courtenay, me témoigna son affection ordinaire. Elle me remercia en me disant que le gentilhomme du carrosse lui avait fait peur. À ma question si c'était la première fois qu'elle le rencontrait, elle répondit évasivement, et quand nous nous séparâmes, ses beaux yeux étaient remplis de larmes.

– Y a-t-il longtemps de cela ? demanda Fortune.

– Trois semaines, à peu près.

– Et pourquoi ne l'avez-vous pas revue ?

– Parce que je devins fou, répondit Courtenay. Voyez-vous, mon camarade, je ne suis pas un dameret, moi. Je n'ai jamais aimé qu'Aldée et jamais je n'aimerai qu'elle. Jusqu'à ce moment, l'amitié d'Aldée, car je n'ose pas dire son amour, m'avait rendu heureux comme un roi. Je tombais du ciel en enfer. Ma première pensée fut d'entrer à l'hôtel de Sully, car le carrosse était encore à la porte, et de monter chez certaine duchesse que je connais bien pour y rencontrer M. de Richelieu. Mon plan était tout simple, je comptais bien le prendre par la peau du cou et le jeter dehors, comme un chien, par la fenêtre du premier étage.

– C'était bon, cela, dit très sérieusement Fortune.

– Et plût à Dieu que j'eusse accompli mon dessein ! s'écria le chevalier avec une pareille conviction. Malheureusement, j'eus peur de madame la duchesse et de ses syncopes ; je rentrai chez moi, puis, au milieu de mes idées noires, le souvenir m'arriva d'un petit souper où M. de Bezons m'avait invité pour ce soir même.

« C'était un moyen de m'étourdir. Je sortis incontinent et je hâtai le pas vers la rue de Verneuil où M. de Bezons a son hôtel.

« Quand j'arrivai, le repas était à plus de moitié ; on avait soupé de bonne heure parce que Mme de Berry donnait, cette nuit, les violons au Luxembourg.

« Il y avait là une demi-douzaine d'hommes et quelques femmes, dont la raison était déjà partie : On causait très haut ; tous parlaient à la fois. C'était un concert de cris et de rires.

« Seul, au centre de la table, un homme avait gardé tout son sang-froid.

« Pas un pli de ses manchettes n'était dérangé, pas une boucle de ses cheveux ne se trouvait hors de sa place.

« Au milieu de tous ces visages enflammés ou blêmes, sa joue restait rose et blanche.

« Il parlait d'un son de voix argentin, et ses yeux clairs gardaient le sourire d'une petite maîtresse.

– C'était Richelieu ! dit Fortune, qui ferma les poings, et ventrebleu ! vous dûtes l'arranger d'importance.

Courtenay baissa la tête.

– En racontant cela, murmura-t-il, j'éprouve encore pour un peu le trouble qui faisait la nuit dans mon cerveau et qui me rendit ivre autant que le plus ivre des convives de M. de Bezons.

« J'entendis qu'on prononçait mon nom et qu'on disait :

« – Voici Courtenay qui va nous donner son avis ; dans l'espèce, c'est le meilleur de tous les juges !

« M. de Richelieu me salua de la main et son sourire me montra toute la rangée de ses dents blanches. Je songeai à le poignarder devant tout le monde.

– C'était bon, dit encore Fortune, mais au lieu de tant songer, mieux eût valu agir un petit peu.

– Autour de la table, reprit le chevalier, une dispute turbulente se poursuivait.

« – La Badin est cent fois plus belle, criaient les uns.

« – Non pas, répondaient les autres, c'est la demoiselle.

« On m'avait fait asseoir très loin de M. de Richelieu et il me sembla qu'il avait mis un doigt sur sa bouche, au moment où la Souris, de l'Opéra, allait prononcer le nom de la demoiselle.

« – Il n'y a rien de si beau que la Badin, décida Mme de Sabran, que je reconnus sous son loup de soie rose.

– Cette Mme de Sabran faisait preuve de goût, interrompit ici Fortune, qui se caressa le menton.

Le chevalier poursuivit :

« – Moi ! s'écria la Souris, je tiens pour l'autre !

« – Pour bien juger, dit Bezons, il faudrait les avoir toutes deux à souper.

« – Je peux vous amener la Badin ; répliqua M. de Brancas ; elle est égarée dans la forêt de l'Arsenal, où je la rencontre quelquefois.

« – Mais l'autre ! l'autre ! s'écria-t-on de toutes parts.

« – Mesdames, dit-il, je vous demande pardon de vous quitter ; madame la duchesse de Berry m'a bien fait promettre de devancer un peu les violons.

« – Roi des fats ! s'écria M. de Gacé, qui était non loin de moi.

« – Mme l'abbesse de Chelles m'a fait dire qu'elle resterait chez sa sœur jusqu'à l'heure du bal.

« – Et la troisième fille du régent ne vous attend-elle point aussi, Richelieu ? demanda M. de Gacé d'un ton ironique.

« – Si fait, comte, répondit le Richelieu avec la suprême impertinence qui n'appartient qu'à lui. Mademoiselle de Valois se pendrait si je ne la mettais pas de la partie...

« Il jeta son chapeau sous son bras.

« – Mais avant de m'éloigner, mesdames, reprit-il, je veux vous faire une promesse. Fixez, s'il vous plaît, le jour où vous voudrez bien me faire l'honneur de souper à ma petite maison, et je m'engage à vous y montrer Thérèse Badin en face de sa rivale en beauté. »

Fortune poussa une sorte de rugissement.

– Mais vous ne compreniez donc pas, chevalier ? s'écria-t-il, puisque vous ne l'avez pas écrasé sous la table renversée ?

Le petit Bourbon passa sa main sur son front et répondit :

– Non, je ne comprenais pas ; les paroles tournaient autour de mon entendement et je n'en saisis le sens que plus tard.

« – Duc ! s'écria Gacé qui semblait en proie à une sourde colère, si j'étais femme je te fouetterais.

« – Oui, répondit Richelieu, mais tu es mari et je te berne !

« Il y eut un grand éclat de rire et tous les rieurs étaient pour Richelieu.

« – Duc, reprit encore M. de Gacé, je te donne huit jours et je gage deux mille louis que tu n'accompliras pas ta vanterie !...

« – Comte, répliqua Richelieu, j'accepte les huit jours. Quant aux deux mille louis, jamais je ne joue et je réduis la gageure à cent pistoles.

« Il salua à la ronde et sortit.

« La Souris dit entre haut et bas :

« – Quel amour ! M. de Gacé ne serait pas si fort en colère si notre duc ne s'adressait qu'aux princesses.

« Gacé devint tout pâle et ses lèvres tremblèrent.

– Vous avez pu savoir, s'interrompit ici Courtenay, pourquoi M. de Richelieu fut enfermé le lendemain de cette soirée à la Bastille ?

« M. de Gacé, fils aîné du duc de Matignon, est marié à une enfant de quinze ans. En sortant du bal de Mme de Berry, il trouva sa femme masquée et emmitouflée dans un vaste domino, qui mettait le pied sur la marche du carrosse de Richelieu.

« Le duc était dans le carrosse. Gacé le fit descendre par l'oreille et lui planta un coup d'épée dans les côtes sous le premier réverbère de la rue Vaugirard.

– Corbac ! marmotta Fortune, on vous a volé ce premier coup d'épée, chevalier !

– Mon camarade, reprit Courtenay, je ne vous ai pas attendu pour juger que mon rôle en tout ceci était pitoyable. Nous tâcherons de mieux faire à l'avenir. Pendant que ces choses se passaient, j'étais au lit avec la fièvre. Ce fut seulement vers le soir que je pus me lever, et je courus chez M. de Bezons pour savoir le nom de celle que M. le duc devait amener en sa petite maison avec Thérèse Badin. Du plus loin que M. de Bezons m'aperçut, il s'écria :

– Eh bien ! voici M. le duc bien empêché de nous montrer la fleur de beauté de la cour de Guéménée. Il est sur le flanc d'abord et ensuite on a porté son lit à la Bastille, M. le régent a juré de faire respecter l'édit sur les duels.

– Vous compreniez, à la fin ? dit Fortune.

– J'entrai chez un écrivain public, répliqua Courtenay, et je fis une lettre à M. de Richelieu pour lui offrir mes services auprès de M. le duc de Bourbon, et je lui mis en post-scriptum qu'il voulût bien m'assurer une heure de tête à tête, l'épée à la main, le jour même de sa sortie de la Bastille.

– Et que vous répondit M. de Richelieu ? demanda Fortune.

– M. le duc de Richelieu ne me fit pas de réponse. J'attendis trois jours, cherchant à voir Aldée, que je ne rencontrai pas une seule fois ; et rôdant comme un loup autour des murailles de la Bastille dès que la brune tombait. Il y avait en moi un grain de folie, c'est certain ; mon idée fixe était d'escalader ces hautes murailles pour pénétrer auprès du duc et l'étrangler dans son lit.

– Ce n'était pas mauvais, dit Fortune, mais on pouvait lui donner jusqu'à sa convalescence.

– Le quatrième jour, poursuivit Courtenay, je me dis : « Il faudrait une armée pour faire le siège de la forteresse, mais on peut s'y introduire autrement. » Pour entrer à la Bastille, il suffit d'une lettre de cachet.

– Tiens ! tiens ! fit notre cavalier.

– Transporté de joie, je courus chez monsieur mon ami le poète Lagrange-Chancel et je lui empruntai un exemplaire de ses Philippiques. Je me rendis dans le jardin du Palais-Royal, j'ameutai autour de moi un cercle de badauds, et je fis à haute voix lecture du dernier dithyrambe de notre Archiloque moderne.

– Bravo ! on vous prit au collet ?

– Du tout, on me laissa faire. Alors, j'insultai M. Law et je prévins mon auditoire que M. le régent conduisait la France à une banqueroute...

– Corbac ! dit Fortune, où donc était la police ?

– Rue Quincampoix, probablement, car personne ne me dit mot. J'enrageais ; la foule m'écoutait et criait : À bas ce cuistre de Dubois ! Un peu plus, je faisais une révolution, lorsque l'idée me vint de pousser jusque sous les fenêtres de Son Altesse Royale et d'entonner la chanson qu'on a faite sur Mme de Parabère : le Petit Corbeau noir. Un quart d'heure après, j'étais au corps de la garde de la rue de Chartres, tout prêt à être dépêché vers la Conciergerie. Heureusement, il y avait là un gibier de la lieutenance qui prononça mon nom, et vers une heure de relevée un ordre de M. de Machault m'octroya les honneurs de la Bastille.

– Ville gagnée ! s'écria Fortune.

Le chevalier secoua la tête tristement.

– Monsieur le gouverneur de la Bastille, reprit-il, a l'honneur d'être l'ami et le serviteur du petit corbeau noir. Je fus jeté dans un cul de basse-fosse au deuxième étage de la tour du centre, au-dessous du sol.

– Diable ! dit Fortune, ce n'était pas bien difficile à deviner ; mais c'est égal, je vous plains, monsieur le chevalier.

– J'eus vingt-quatre heures de fièvre chaude, et deux gardiens suffisaient à peine pour m'empêcher de briser ma tête contre les murailles. Je pensais que j'avais mis une double muraille entre moi et ma vengeance. Je me disais en outre : quand il va sortir de prison, j'y serai encore peut-être, et qui défendra mon Aldée ?

Fortune se gratta le front.

– Voilà où le bât nous blesse, murmura-t-il, c'est que nous y sommes tous deux, en prison !

Le chevalier eut un sourire.

– Pas pour longtemps, dit-il. Mais nous allons arriver à ce sujet, laissez-moi achever. Je fus quinze grands jours à combiner un plan d'évasion : juste les deux semaines que M. de Richelieu mit à se rétablir de sa blessure.

« Pendant tout cet intervalle, j'avais été d'une sagesse exemplaire, et je n'avais plus d'autre surveillant qu'un guichetier.

« Un brave homme à qui je ferai une bonne pension dès que j'aurai des rentes, car le matin du seizième jour je l'assommai d'un grandissime coup de poing ; je le liai, je le bâillonnai, et je mis ses habits par-dessus les miens, ce qui me prêta à peu de chose près sa tournure lourde et sa corpulence.

« Je l'enfermai dans ma cave à double tour ; mais ce n'est pas une chose aisée que de voyager dans les escaliers et dans les corridors de la Bastille ; je me serais perdu cent fois si je n'avais dit tout franchement au premier porte-clé que je rencontrai : Je suis nouveau, mon camarade, il me faut porter un message de monsieur le gouverneur ; indiquez-moi la route pour trouver M. le duc de Richelieu.

– Ah ! ah ! s'écria Fortune, enfin !

– Mon Dieu, oui, répliqua Courtenay, je ne m'évadais pas pour avoir la clé des champs, mais bien pour me procurer mon tête-à-tête avec M. le duc de Richelieu.

XXVII

Où Fortune passe un quart d'heure agréable à écouter le récit d'une galante aventure

– Après bien des tours et des détours, continua le petit Bourbon, je me trouvai dans le quartier des gens de qualité :

« Sur mon assertion effrontée que je venais avec le message du gouverneur, on m'ouvrit une porte et je me trouvai, non point encore dans la prison du Richelieu, mais dans une manière d'antichambre assez propre où l'illustre Raffé, votre valet de chambre, était commodément renversé dans un fauteuil.

« – Je viens trouver monsieur le duc, lui dis-je.

« – Occupé, répondit-il sans me regarder. Mais j'ajoutai :

« – C'est un ordre de monsieur le gouverneur.

« – Le célèbre Raffé, continua Courtenay, eut la bonté de se lever et me demanda avec la politesse insolente de ses pareils :

« – Mon garçon, la commission de monsieur le gouverneur est-elle bien pressée ?

« – Si pressée, répondis-je, que je ne peux pas attendre une minute.

« Il lâcha sa correspondance qui s'éparpilla sur le guéridon et s'en alla frapper doucement à une porte intérieure.

« Avant d'obtenir une réponse, il frappa pour le moins quatre fois. Je maugréais tout bas dans ma barbe pour soutenir mon rôle.

« Enfin, on ouvrit.

« Il y eut un bruit de soie froissée, une porte se ferma à l'intérieur et je fus introduit.

« M. le duc avait une robe de lampas bleu de ciel ramagée d'or et doublée.

« – Faites vite, l'ami, me dit-il.

« – Je dois parler à monsieur le duc sans témoins, répondis-je.

« Un signe impatient renvoya l'illustre Raffé.

« – Dépêchez, l'ami, me dit alors le duc, vous ne pouvez pas savoir à quel point votre visite m'est importune.

« Il y avait trois portes à la cellule qui, certes, ne présentait pas l'aspect riant d'un boudoir, mais qui ne ressemblait pas non plus à une prison.

« Je négligeai les deux portes intérieures, mais je mis le verrou à celle par où Raffé venait de sortir.

« Et sans autre forme de procès, je dois l'avouer à ma très grande honte, je tombai sur M. le duc à bras raccourcis.

Fortune avait toutes les peines du monde à retenir l'expression de son allégresse.

– Quel amour de prince vous faites ! dit-il seulement. Allez ! allez toujours ! à bras raccourcis, sang de moi ! allez !

– Il n'y a pas de quoi se vanter, poursuivit Courtenay, entre gentilshommes cela ne se fait guère, c'est certain, mais que voulez-vous ! j'avais faim et soif de battre ce muguet, et je m'en donnai, par la sambleu ! avec gourmandise, avec goinfrerie !

« Il se défendait, le malheureux, car il a du cœur à sa manière ; il cherchait surtout à protéger ce charmant minois qui est sa fortune et son génie, mais moi j'y allais bon jeu bon argent, battant partout et disant :

« – Monsieur le duc, j'en suis bien fâché, mais on fait ce qu'on peut, et nous n'avons pas ici nos rapières. À défaut du menuet, dansons une gigue à la bonne franquette !

« Et c'était une pluie de horions !

Fortune se jeta au cou du chevalier et l'embrassa avec enthousiasme.

– Un déluge de gourmades, continuait celui-ci, ce qui ne m'empêchait pas de bavarder : « À la guerre comme à la guerre, monsieur le duc, une autre fois nous croiserons l'épée, si le cœur vous en dit, car je veux bien vous donner cette consolation. Vous avez l'honneur en ce moment d'être rossé par la première noblesse de France. Sans le prêtre rouge qui donna un certain lustre à votre nom, vous sortiriez d'une maison de gentillâtres, mon bon. Moi, je suis Valois comme François Ier, et c'est le poing d'un fils de Philippe-Auguste qui vous poche l'œil droit, mon cher.

« L'œil droit fut poché comme Philippe-Auguste lui-même aurait pu faire à un œil anglais de Bouvines, et le malheureux bellâtre tomba dans une bergère en criant au secours.

« Le célèbre Raffé ne put pas entrer à cause du verrou, mais les deux autres portes s'ouvrirent avec violence et deux femmes, – ah ! deux femmes ravissantes ! s'élancèrent de droite et de gauche, échevelées comme des Euménides.

« Elles vinrent toutes deux sur moi bravement, tenant à la main des petits poignards qui étaient des bijoux.

« Je vous les montrerai, je les ai ici près dans ma cellule, et ce sont eux qui me servent à creuser mon terrier.

« Du premier coup d'œil, j'avais reconnu deux de mes cousines, deux princesses du sang royal, deux admirables filles qui seront peut-être reines un jour chez les Savoyards ou chez les Teutons. Je me tenais prêt à parer leurs coups lorsqu'elles s'arrêtèrent furieuses, à la vue l'une de l'autre.

« – Ah ! madame, dit la délicieuse Valois, ceci n'est pas un jeu !

« Mlle de Charolais répondit aigrement :

« – Vous avez triché, madame !

« Et, vrai Dieu ! elles firent un mouvement pour en venir aux mains.

« Je les séparai par bonté d'âme, car ce pauvre duc ne valait guère mieux qu'un perclus. Il était anéanti et sa figure faisait pitié sous ses papillotes.

« – Vous aviez promis de ne jamais venir ici sans moi, reprit la fille du régent que je tenais du bras droit.

« – N'aviez-vous pas fait la même promesse ? riposta la fille de Condé que je maintenais de la main gauche.

« – Il me semble, dit Mlle de Valois, essayant un air de majesté, que vous pourriez bien me donner mon titre de madame.

« – Madame, repartit Mlle de Charolais, je me rappellerai votre titre quand vous vous souviendrez du mien !

« Leurs Altesses Royales étaient véritablement bien en colère. Moi, ma fringale était passée ; j'avais bu, j'avais mangé de la vengeance à tire-larigot, et l'œil poché de l'infortuné duc m'inspirait une compassion mêlée de remords.

– Allons donc ! s'écria Fortune, moi je regrette l'autre : j'aurais poché les deux !

– Mais voilà le côté touchant de l'aventure, reprit Courtenay, la rage des deux princesses tomba comme par enchantement quand leurs regards se tournèrent vers le visage ravagé de leur bien-aimé duc ; elles jetèrent leurs poignards que je ramassai prudemment, elles s'élancèrent toutes deux à la fois en poussant un cri déchirant et se prosternèrent, côte à côte, aux genoux de l'idole.

« – Ingrat ! firent-elles d'une même voix caressante.

« Puis elles ajoutèrent tendrement :

« – Celui qui vous a traité si indignement sera roué vif en place de Grève, mon cœur !

« C'était assurément la moindre des choses pour expier un pareil sacrilège.

« Le duc demanda une goutte d'eau. Elles se levèrent éperdues, mais ce fut moi qui allai tirer le verrou pour donner passage au célèbre Raffé.

« Aussitôt que Raffé fut entré, j'entrouvris mon costume de comédien et je déclinai tranquillement mes noms, titres et qualités.

« Mes deux belles cousines ne prononcèrent pas une parole. Chacune d'elles me toisa d'un air morne. Ni l'une ni l'autre ne me demanda le secret : j'ai là deux mortelles ennemies qui me mèneront très loin, sinon jusqu'à la place de Grève.

« Je les saluai comme c'était mon devoir ; j'assurai M. le duc que je serais à sa complète disposition dès que les circonstances le permettraient, et je fournis le numéro de ma cave au célèbre Raffé, qui me remit entre les mains des hommes de la prison.

« Une heure après mon retour dans ma cave, j'eus des nouvelles de mes cousines : on me mit les fers aux pieds et la camisole de force comme à un fou.

« Le surlendemain, M. Launay, le gouverneur, vint me voir de sa propre personne. C'est un bonhomme grave et lourd qui ne pêche pas par abus du mot pour rire ; pourtant, quand il me vit, il ne put réprimer un mouvement de gaieté.

« – M. de Courtenay, me dit-il, vous avez bien mal arrangé ce pauvre duc. On parlait de sa mise en liberté, mais il a demandé lui-même à rester une semaine ou deux chez nous pour cacher les suites de sa mésaventure. Tubleu ! le coup de poing que vous lui avez donné sur l'œil est une sévère torgnole, monsieur de Courtenay.

« – J'ai fait de mon mieux, monsieur le gouverneur, répliquai-je avec modestie.

« – Il paraît, murmura M. Launay d'un accent confidentiel, que M. le régent et Dubois en ont ri à ventre déboutonné, mais il y a deux princesses... Je n'ai pas besoin de m'expliquer davantage : elles ont des craintes, des insomnies...

« – Quoi ! malgré la camisole de force !

« – Le beau sexe ne raisonne pas, et du moment que M. de Richelieu nous reste, vous devez déguerpir d'ici.

« – Comment ! m'écriai-je, on veut me mettre à la porte de la Bastille ?

« – Non, pas tout à fait pour vous jeter dans la rue, mais pour vous écrouer à la prison du Châtelet.

« Voilà où nous en sommes ! s'interrompit ici le petit Bourbon, qui ne raillait plus et montrait au contraire toute la naïveté de son indignation, on a chassé de la Bastille le descendant des Valois pour y garder le fils de M. Vigneron, dont le grand-père était valet barbier et joueur de guitare chez ce bourreau déguisé en cardinal. Armand Duplessis de Richelieu ! – Ami Fortune, croyez-moi, le monde est bien près de finir ! »

Notre cavalier jeta un voile sur cette faiblesse, en considération du coup de poing sur l'œil.

– Et voilà pourquoi, mon prince, dit-il, vous êtes maintenant dans cette geôle roturière du Grand-Châtelet ?

– Voilà pourquoi, répéta Courtenay avec amertume, c'est le petit-neveu du perruquier qui a les honneurs de la forteresse royale !

« Mais à quelque chose malheur est bon, reprit-il en retrouvant la gaieté de son caractère : après mon équipée, mon évasion de la Bastille était chose impossible et je n'y songeais même pas, tant mes gardiens me serraient de près, surtout celui que j'avais été obligé d'assommer. Et pourtant, le coup de poing sur l'œil de M. le duc doit être guéri : il va quitter la prison demain ou après : il faut de toute nécessité que je sois libre sous quarante-huit heures.

– Il le faudrait, du moins, dit Fortune, car Aldée est sans défenseur.

– Je n'ai pas perdu de temps, reprit le petit Bourbon, à la place où vous êtes il y avait, lors de mon arrivée ici, un voleur qui connaissait son Grand-Châtelet sur le bout du doigt. J'ai peur qu'on ne l'ait pendu : c'était un garçon recommandable à part ses mauvaises habitudes. Sur ses indications précises et très claires, je commençai mon travail dès la première nuit.

« Mon travail est un boyau qui passe sous la muraille et rejoint la galerie de l'Est. Au bout de la galerie de l'Est, où il n'y a jamais de sentinelles la nuit, parce qu'elle est sans communication avec les cachots et ne dessert que les salles d'audience, se trouve la porte-fenêtre qui donne jour dans le caveau des Montres, dit aussi la Morgue, où l'on expose les cadavres des noyés... Une fois dans ce caveau, il n'y a plus qu'une cloison vitrée entre le prisonnier et la liberté.

– Et votre boyau est-il bien avancé, mon prince ? demanda Fortune qui d'avance se frottait les mains.

– Il reste à peine quelques heures de travail. J'ai traversé la couche des moellons et je suis sous le sol mou de la galerie.

– Eh bien ! monsieur le chevalier, reprit Fortune, malgré tout le charme de votre entretien, je crois qu'il vaudrait mieux achever la besogne pour que nous prenions dès cette nuit, tous deux, la poudre d'escampette.

– Non pas cette nuit, répliqua Courtenay, mais demain ; je regarde la chose comme à peu près certaine.

– La mule du pape ! s'écria notre cavalier, moi qui accusais mon étoile ! Mais, dites-moi, je ne sais pas très bien marcher comme les mouches ou comme vous le long des cloisons à pic. Comment ferai-je pour vous rejoindre ?

– Vous savez du moins monter à l'assaut, puisque vous avez été soldat, répondit Courtenay. Il y a les deux petits poignards catalans de ces dames que vous piquerez dans le bois.

– Il suffit, interrompit Fortune, c'est chose faite.

De l'autre côté de l'eau, la tour de l'horloge du Palais sonna cinq heures.

– Vite ! s'écria le chevalier, la courte échelle ! Dans quelques minutes maître Lombat sera ici avec notre repas du soir.

Fortune se mit debout à l'angle formé par les deux cloisons.

Courtenay grimpa lestement le long de son corps et posa ses pieds sur ses épaules, puis sur sa tête ; l'instant d'après, il enfourchait le faîte de la cloison et se laissait glisser dans sa cellule.

Il était temps : les clés de maître Lombat chantaient déjà leur musique accoutumée à l'autre bout du corridor.

XXVIII

Où le cavalier Fortune retrouve son ami La Pistole

Fortune mangea son souper de meilleur appétit encore qu'il avait mangé son dîner.

Il se sentait le cœur léger comme s'il avait eu déjà ville gagnée.

Après son souper et comme la nuit allait tomber, Fortune écouta pendant quelque temps le bruit du travail souterrain accompli par Courtenay.

Il s'assoupissait tout doucement et déjà ses idées se perdaient, lorsque trois coups frappés à la cloison le mirent sur ses pieds en sursaut.

La voix du chevalier passa à travers les planches.

– Je ne peux pas continuer mon travail, dit-elle, parce qu'on marche dans la galerie de l'Est, mais il n'y a plus que la dalle à desceller et il se peut que nous partions cette nuit même.

– Je vais me tenir prêt, dit Fortune, bravo !

– Faites un somme plutôt ; si tout va bien, je vous éveillerai.

Ce ne fut pas de son plein gré que Fortune profita de la permission.

Il attendit une heure, puis deux heures, se promenant de long en large pour écarter le sommeil ; mais enfin, las de tourner dans sa cage comme une bête fauve, il s'assit sur son grabat, écarquillant les yeux et se disant : « Je suis bien sûr de ne pas m'endormir ! »

Il se dit cela une douzaine de fois pour le moins, et la dernière fois ce fut en songe qu'il se le dit.

Nous savons qu'il dormait ferme quand il s'y mettait et qu'il avait abondance de songes.

Cette nuit, dans son sommeil, il entendit toute sorte de bruits qui se mêlèrent à ses rêves comme c'est la coutume.

Fortune rêvait justement que son ami le chevalier venait de l'appeler et lui jetait par-dessus la cloison les deux poignards dont l'un avait atteint son bras.

Toujours en songe, il se mit bravement à l'ouvrage et piqua les poignards dans les madriers pour escalader la cloison.

Quand il s'éveilla le lendemain matin, il fut très étonné de se retrouver couché sur son grabat, dans sa cellule où le grand jour entrait à flots.

Il se leva et s'approcha de la cloison à laquelle il frappa.

Personne ne répondit.

Seulement, il crut entendre un gros soupir et comme un gémissement.

– Chevalier, demanda-t-il avec précaution, est-ce que vous êtes malade ? que diable avez-vous à gémir comme cela ?

Voici ce qui lui fut répondu :

– Je ne suis pas chevalier, mais je suis bien malade. C'est ma femme qui est la cause de tout. Chaque fois qu'il m'arrive malheur, je reconnais sa main perfide. Elle a le bras long et quelque gros bonnet de la pouce peut bien avoir pris un caprice pour elle : elle aura su que j'étais de retour à Paris et elle a essayé de faire la fin de moi.

– Corbac ! gronda Fortune qui avait écouté cette jérémiade jusqu'au bout, où m'a-t-on mis mon petit Bourbon ? Si j'étais bien sûr d'être éveillé, je jurerais que c'est la voix de ce benêt de La Pistole !

Le plus simple aurait été assurément d'interroger à travers la cloison, mais Fortune venait d'entendre le pas lourd de maître Lombat cheminant dans le corridor, et presque aussitôt la serrure de la cellule voisine grinça.

– Eh bien ! mon garçon, dit le bon guichetier en entrant, commencez-vous à vous habituer à votre logis ? Je vous ai choisi une cellule toute chaude, car vous êtes arrivé avant une heure du matin et votre prédécesseur était parti après minuit ; un joli seigneur, celui-là, et qui m'avait envoyé hier chez une jeune demoiselle plus aimable que les amours, quoiqu'elle ait le teint trop pâle, les yeux fatigués et que je n'aie pas pu lui arracher une parole !

– Pauvre Aldée ! pensa Fortune, voilà bien son portrait ! Si par chance il avait aperçu ma petite Muguette, il en dirait un mot, puisqu'il est amateur.

Le prisonnier à qui s'adressait maître Lombat ne répondit point, mais on pouvait entendre ses soupirs à fendre l'âme.

– Eh bien ! eh bien ! reprit le guichetier, il faut pourtant vous faire une raison, vous ne serez pas pendus tous les deux pour le même meurtre, à moins qu'il ne soit prouvé que vous l'avez commis de compagnie.

Fortune écoutait de toutes ses oreilles.

Le prisonnier murmura d'un ton dolent :

– C'est ma femme ! je vous dis que c'est ma femme !

– Eh bien, mon camarade, reprit encore Lombat, si c'est votre femme, on peut dire que l'estocade était bien donnée, car le pauvre Guillaume Badin est mort sur le coup.

« Et qui pourrait croire des choses semblables, ajouta-t-il en déposant son assiette sur le carreau ; j'ai été vous voir bien souvent à la foire Saint-Laurent tous les deux, votre femme et vous. Vous faisiez l'Arlequin à ravir et votre sémillante compagne n'avait pas sa pareille pour les Colombines. Vous souvenez-vous de cette petite mouche qu'elle se campait toujours sous l'œil droit.

La poitrine du prisonnier rendit un véritable gémissement.

– La figure d'un ange ! balbutia-t-il, l'âme d'un démon !

– Oh ! d'un ange, d'un ange, répéta le guichetier, entendons-nous ! Elle vous avait un air fripon à tout casser dans l'intérieur d'un ménage, et la dernière fois que j'ai conduit dame Lombat à la foire, elle me disait en revenant : « Ah ! maître Lombat, maître Lombat ! il vous faudrait une coquine de ce numéro pour vous mettre à la raison »... C'est un écu par jour, monsieur La Pistole, pour la miche tendre, la viande et le vin.

– Remportez la miche tendre, le vin et la viande, répliqua La Pistole d'un accent tragique ; je n'ai pas besoin de tout cela. Mon dessein est de me laisser mourir d'inanition.

Le guichetier se prit à rire et Fortune devina qu'il haussait les épaules en répondant :

– Bon, bon, monsieur La Pistole, nous connaissons ces beaux projets. Mon habitude est de faire crédit le premier jour ; je reviendrai ce soir. À l'avantage !

La grosse clé joua dans la serrure, et Lombat redescendit le corridor pour faire le tour de ses pratiques.

– Dieux immortels ! déclama La Pistole sur un mode noble et pathétique, ne serez-vous jamais las de me persécuter ?

– Le fait est, pensa Fortune, que voilà une drôle d'histoire. Est-ce que ce serait lui qui... ? Pas possible ! Et pourtant il m'avait dit en me quittant : « J'irai jouer dans la rue Quincampoix... » Mais de par tous les diables ! qu'a-t-on fait de mon chevalier ?

La clé de Lombat attaqua la serrure et il entra d'un air rogue.

– Il y a quelqu'un ici près, dit-il, qui ne veut pas de mes fournitures : quelqu'un que vous connaissez bien, car il paraît que vous étiez deux pour mettre à mal le pauvre Guillaume.

– Moi, je ne dédaignerai pas votre prébende, maître Lombat, répondit Fortune, car j'ai un appétit d'enfer.

– C'est le cas de se brosser le ventre, répliqua le guichetier rudement, quand on ne possède pas seulement une paire d'écus pour contenter son monde. Je vous ai nourri hier, et je vous ai donné de quoi écrire.

– J'ai gâté mon papier... commença Fortune.

– À d'autres ! je suis sûr que vous n'avez pas dans Paris un seul chrétien à qui emprunter une couple de pistoles. Au moins, M. le chevalier de Courtenay avait cette pauvre belle demoiselle qui ne répondait pas à ses lettres, mais qui lui faisait tenir quelque argent, en recommandant bien de ne pas la trahir.

– Et qu'est-il devenu, monsieur le chevalier ? demanda Fortune vivement.

– Ah ! ah ! fit le guichetier, ce qu'il est devenu ! Disputez-vous avec les hommes tant que vous voudrez, mais ne mécontentez jamais les dames ni M. le duc de Richelieu qui vaut, à lui tout seul, un demi-cent de cotillons. Le Courtenay est de bonne maison, oui, mais c'est pauvre comme Job, et il paraît qu'il avait contre lui trois bonnes dames : madame de Parabère, mademoiselle de Charolais et mademoiselle de Valois. Il est venu, cette nuit, une lettre de cachet, pressée, morbleu ! on eût dit que le feu était au Châtelet ! Monsieur le geôlier s'est levé à plus de minuit qu'il était, on a pris le pauvre jeune homme, on l'a planté dans un fourgon attelé en poste, et fouette cocher pour le château de Blaye, pour le château de Pignerol ou pour la forteresse du Mont-Saint-Michel ! *Requiescat in pace !*

– Comment ! s'écria Fortune, vous croyez ?...

– Je ne crois rien, repartit Lombat, et cela ne me regarde pas. Voici une cruche d'eau et du pain noir. À l'avantage.

Fortune ne fit point trop d'efforts pour le retenir. Il savait où prendre son déjeuner...

Quand maître Lombat eut retiré la clé de la dernière serrure et que son pas pesant eut cessé de se faire entendre, Fortune se mit sur ses pieds.

– Holà ! fit-il avec précaution, mon camarade La Pistole !

Il n'eut point de réponse, parce que La Pistole se disait :

– Je crois bien reconnaître cette voix-là, mais c'est peut-être un piège de ma femme.

Fortune, du reste, n'appela pas deux fois : il avait hâte de tenter l'épreuve de l'escalade.

Il prit les deux couteaux de Leurs Altesses Royales et se mit tout de suite en besogne, comme ces preux de l'ancien temps qui montaient à l'assaut des forteresses en fichant leurs dagues entre les pierres.

Ces deux bijoux de poignards avaient une trempe excellente ; ils perçaient le bois comme un couteau entre dans le fromage ; au bout de cinq minutes, Fortune était à cheval sur la cloison.

Il vit une cellule toute pareille à la sienne.

Le pauvre La Pistole était couché à plat ventre sur le grabat, et l'assiette apportée par le guichetier laissait sourdre encore un mince filet de fumée.

Mais il y avait autre chose qui tenait davantage encore au cœur de Fortune ; son regard fit le tour de la cellule, cherchant à terre, du côté de la muraille, une trace quelconque qui lui indiquât l'entrée du boyau pratiqué par Courtenay.

Il ne vit rien ; tous les carreaux avaient la même physionomie.

– La Pistole ! dit-il encore.

Le malheureux Arlequin ne répondit que par une plainte sourde où l'on pouvait distinguer ces mots :

– Ah ! scélérate, après ma mort, je reviendrai te tirer par les pieds !

Fortune joua des poignards.

Quand sa main se posa sur l'épaule de La Pistole, celui-ci poussa un grand cri et fit un saut de carpe.

– Ma femme !... commença-t-il.

Puis, s'arrêtant stupéfait, mais non point rassuré, il ajouta :

– Le cavalier Fortune ! est-ce que vous allez me traiter comme vous avez fait de maître Guillaume Badin ?

– La mule du pape ! s'écria notre cavalier qui le regarda d'un air mauvais, on dit que la besogne a été faite par toi ou par moi, garçon : comme il est bien sûr que ce n'est pas moi, serait-ce toi, par hasard ?

Sans y penser, il avait gardé à la main les deux couteaux catalans.

La Pistole tremblait de tous ses membres ; pourtant, il dit :

– Je ne tiens plus à la vie ; allez, dépêchez-moi d'un seul coup.

Fortune mit ses couteaux dans sa poche et lui prit les deux mains pour le considérer mieux.

– Du diable si ce bonhomme a l'air d'un assassin ! pensa-t-il tout haut.

La Pistole se disait de son côté :

– Il a pourtant une bonne figure !

– Voyons, reprit notre cavalier d'un ton de magistrat instructeur, en me quittant avant-hier tu as été jouer rue Quincampoix : tâche de répondre avec franchise.

– J'ai été jouer rue Quincampoix, répondit La Pistole, au cabaret de l'Épée-de-Bois.

– Et là, continua Fortune sévèrement, tu as perdu tes 15 000 livres comme un innocent que tu es ?

– Mais du tout ! s'écria La Pistole, je suis un innocent pour ce qui regarde maître Guillaume Badin, mais au jeu personne ne peut m'accuser d'être un manchot. Entre deux heures de l'après-midi et deux heures du matin, j'ai triplé mon petit avoir pour le moins.

L'ancien Arlequin commençait à se retrouver lui-même et l'idée de son gain lui rendait quelque verdeur.

– Alors, dit Fortune, si tu avais les poches pleines, c'est donc que tu étais ivre pour avoir fait ce méchant coup !

Les poings de La Pistole se crispèrent.

– Nous avons déjà été sur le point d'en découdre, fit-il résolument ; je ne suis pas un bravache comme vous, maître Fortune, mais je deviens un lion quand on m'échauffe les oreilles et que je ne peux pas reculer. Êtes-vous payé par ma femme ? dites-le tout de suite et prêtez-moi un de vos eustaches, nous allons mener la chose rondement !

Fortune lui caressa le menton d'un geste tout paternel.

– Par la morbleu ! fit-il, quand je vous disais que ce nigaud était un bon petit compagnon.

« Tiens-toi en paix, mon camarade, reprit-il, je suis fixé, tu n'es pas coupable.

La Pistole baissa les yeux ; ses sourcils étaient froncés.

– Si vous êtes fixé sur moi, prononça-t-il tout bas, moi je ne suis pas fixé sur vous.

– Quant à cela, répliqua Fortune paisiblement, c'est la moindre des choses, et tu comprends bien qu'un homme de ma sorte ne prendra point la peine de se disculper vis-à-vis de toi. Nous avons d'ailleurs autre chose à faire.

Tout en parlant, il s'était installé convenablement sur le lit, tenant l'assiette découverte entre ses genoux.

– Encore de l'oie ! murmura-t-il.

Il rompit le pain tendre et se mit à manger de tout son cœur.

La Pistole le regardait faire avec mélancolie.

– Je ne t'offre pas de partager, reprit Fortune, parce que je n'ai aucun droit sur toi et que tu as manifesté l'intention de te laisser mourir de faim.

Il y avait des larmes dans les yeux de La Pistole qui se tordait les mains en murmurant :

– Ah ! la coquine ! la coquine !

– Là ! s'écria Fortune, j'ai déjeuné de bon appétit. Ton histoire n'est pas des plus récréatives, mais quand je mange, cela me fait plaisir d'entendre radoter quoi que ce soit.

« Maintenant nous allons travailler à notre délivrance... Y es-tu ?

La Pistole secoua la tête tristement.

– Cavalier Fortune, dit-il, vous pouvez faire tout ce que vous voudrez ; vous avez confiance en votre étoile, tant mieux pour vous. Moi, je suis certain, au contraire, d'être né sous un astre défavorable. Si je parvenais à quitter cette prison, je trouverais ma femme en dehors des murs avec une corde qu'elle me passerait au cou pour m'étrangler.

Pendant qu'il parlait, Fortune s'était mis à genoux sur le carreau de la cellule, du côté qui confinait au mur.

Après avoir tâtonné pendant une minute ou deux, il sentit une tuile qui basculait sous la pression de ses doigts ; il retira cette tuile, puis trois autres, ce qui forma un carré béant qui pouvait aisément donner passage à un homme.

La Pistole le regardait faire avec découragement.

– La coquine ! se disait-il, quand on me mettra la corde au cou, je demanderai la permission de faire un discours au populaire et je l'accuserai d'être une hérétique, une sorcière, une empoisonneuse. Je la ferai brûler vive, s'il se peut.

Fortune avait déjà disparu dans le trou.

Dès les premiers pas, il comprit à ses risques et périls comment le chevalier Courtenay avait pu faire disparaître les terres déblayées ; il fut, en effet, sur le point de tomber dans une crevasse ouverte à sa gauche et d'où sortait un air chargé d'humidité.

Ce devaient être les caves de l'antique forteresse, et le chevalier avait dû incliner sa tranchée vers le sud pour les éviter.

La tranchée était longue d'environ dix pas.

Elle était dirigée à fleur de sol.

Certes on ne s'y promenait point à l'aise, mais un homme jeune et leste comme l'était notre cavalier, y pouvait remuer avec assez de facilité.

La nuit était noire là-dedans comme au centre de la terre.

Quand Fortune eut atteint l'extrémité du boyau, il put entendre distinctement un grand bruit de pas et même des voix qui causaient activement.

Le corridor de l'Est servait un peu de salle des pas perdus au Châtelet.

La dernière toise du boyau allait en se relevant et aboutissait à une dalle dont l'épaisseur seule séparait Fortune des promeneurs.

La première voix qu'il reconnut fut celle du bailli-suppléant Loiseau, et ce digne magistrat disait :

– Je l'ai réduit au silence avec cette simple question : Pourquoi n'avez-vous pas couché à votre auberge ?

– Deux millions ! chantait le greffier Thirou, il a gagné deux millions ce matin à la baisse après avoir gagné hier quatre millions à la hausse ; c'est un colosse !

Loiseau, qui revenait sur ses pas, dit :

– Il m'a fait manger ma soupe froide, mais il sera pendu, parce qu'on couche à son auberge quand on n'a point de desseins criminels. Qu'il réponde à cela ! Je l'en défie !

FIN DU TOME PREMIER

Milton Keynes UK
Ingram Content Group UK Ltd.
UKHW050715181023
430769UK00009B/313

9 791041 839186